LA SICILIENNE

GIUSEPPE FAVA

LA SICILIENNE

Traduit de l'italien par
Yvana Stella

« Littérature italienne » dirigée par
Franco Matranga

1

L'employé du bureau de l'inspection académique parcourait une liste de noms sur les pages d'un gros registre. L'homme faisait son travail avec des gestes rapides, agacés. En vérité, il ne trouvait pas le nom d'Elena Vizzini. Il referma le registre, l'ouvrit à nouveau, leva vers elle un regard méprisant.

– Recommençons!

Il poussa enfin un soupir de satisfaction.

– Elena Vizzini, mutée à Montenero Valdemone...

– Comment Montenero? J'avais demandé Ragusa, Enna... C'est trop loin...

– C'est ainsi, mademoiselle! Vous avez le droit de refuser.

Refuser! Perdre encore une année, puis une autre... Elle se regarda dans le miroir de l'ascenseur qui la ramenait en bas, refoula une violente envie de pleurer. Elena Vizzini, 32 ans, orpheline de père, institutrice sans emploi, classée 492e au concours, un visage clair, une seule histoire d'amour dans la vie, trois ans avec un homme marié qui l'avait laissé choir. Pendant quelque temps elle avait ressenti une sensation de vide, un vide vraiment physique, comme si on lui avait arraché du ventre sa féminité.

Sa mère ne lui avait jamais pardonné cette histoire d'amour, ces trois années désespérées, pleines d'insatisfaction et d'ivresse. Elle avait considéré sa liaison seulement comme une chose obscène. Pour elle, les Siciliens étaient vaniteux, bagarreurs, ignorants, les femmes mal élevées et vulgaires, les enfants sales. Pendant quarante ans elle avait parlé son dialecte piémontais comme si rien n'avait jamais changé, ni les gens ni les lieux.

Avec l'âge elle s'était un peu affaiblie; parfois, face à une rébellion de sa fille elle se mettait à pleurer, mais ça lui passait vite, elle parlait alors pendant des heures, sans interruption, égrenait toute l'histoire des injustices qu'elle avait subies dans la vie, les sacrifices pour le mari brigadier, la honte pour cette fille effrontée, le dégoût pour tous les Siciliens qui l'entouraient.

– Quand j'ai connu ton père j'aurais dû m'en douter... Il avait des poils même sur le nez. Va en enfer brigadier... Tu n'es qu'un Africain toi aussi...

Elle n'avait jamais été malade. Minuscule, toujours vêtue de noir, le col de dentelle blanche, la petite chaîne en or, les cheveux en chignon, une canne de métal au pommeau d'argent. Elle s'habillait comme ça depuis au moins vingt ans et avait réglé sa vie comme une horloge.

Tout se passa exactement comme Elena l'avait prévu. Sa mère parla pendant plus d'une heure à voix haute, allant d'une pièce à l'autre, expliquant qu'on la retrouverait sûrement morte, puis elle s'enferma dans sa chambre pendant deux jours. C'est seulement à la gare, peu avant le départ, qu'elle se mit à trembler et finalement éclater en sanglots. Elle voulut même embrasser les mains de sa fille, et resta un long moment accrochée au marche-pied, puis le train s'arracha au quai, la laissant loin derrière, figurine noire et perdue.

Sept heures de voyage, d'abord avec le train jusqu'à Palerme, puis sur les sièges d'un bus qui soufflait sur les routes de campagne. Subitement la mer disparut au milieu des collines. Les pâles couleurs de la côte, bleues, jaunes, vertes, s'évanouirent et tout devint gris et désert. D'immenses vallées apparurent, des nuages de poussière, des montagnes rocailleuses à perte de vue, sans un arbre.

Il semblait qu'au-delà de ces montagnes, la route déboucherait sur une plaine verdoyante, ou bien sur un bord de mer, mais on découvrait d'autres vallées désertes, d'autres montagnes, toujours, et c'est comme si le même paysage explosait sans cesse, à l'infini.

Seulement huit personnes voyageaient dans le bus. Une paysanne avec son fils demeuré qui s'enchantait à regarder la campagne. Il bavait de temps en temps, et sa mère, patiemment, l'essuyait avec son mouchoir. Trois bourgeois, l'un gras et jeune avec des lunettes, l'autre impeccable avec un petit chapeau de feutre et des moustaches, le troisième avec un sac de cuir, le regard doux et bleu et de longs cheveux presque gris. Puis deux étudiants, encore adolescents, avec un ridicule début de moustache, qui parlaient rapidement, fumaient, riaient continuellement. Enfin un homme encore jeune, grand, une grosse tête noire, moustache, yeux, cils, cheveux noirs. Il avait des mains très musclées, une splendide cravate, paraissait constamment inquiet, fumait, lisait, se levait, changeait de place. Il en changea si souvent qu'il vint s'asseoir en face d'Elena et se mit à la détailler, comme par défi :

– Je dérange?

– Oui!

Il eut un petit rire surpris et approbatif.

– On deviendra sûrement amis! J'aime les femmes comme vous.

Elena se leva, alla s'asseoir à côté du garçon demeuré et l'homme éclata de rire.

Une autre vallée, une autre montagne, et le crépuscule changea les couleurs du paysage : une vaste étendue grise et bleue, des montagnes sombres dans un ciel rose et violet, puis tout plongea dans la nuit. Encore une heure de voyage : tout le monde s'endormit; Elena commença à avoir la certitude angoissante de s'éloigner définitivement de chacun des détails qui constituaient sa vie. A un certain moment apparurent, très lointaines dans l'obscurité, les lumières jaunes d'un village, mais les virages étaient si serrés qu'on avait l'impression de ne jamais pouvoir les rejoindre.

Le bus s'arrêta dans une rue déserte où attendait le concierge de l'école, enveloppé dans une espèce de châle noir, un drôle de béret militaire sur la tête et un nom curieux : Allegrezza. Il se montra très gentil, transmit les salutations de monsieur le directeur et l'aida en silence à porter la valise pendant une centaine de mètres, jusqu'au logement que la direction de l'école avait trouvé pour elle.

Elena était si fatiguée qu'elle n'eut même pas la force d'ouvrir sa valise, elle s'étendit toute habillée sur le lit et tira une couverture sur ses épaules.

Elle dormit mal toute la nuit, avec une sensation continue de froid et de peur. Peu après l'aube, elle s'éveilla et employa deux heures à ranger la chambre qui était spacieuse mais misérable : un grand lit de fer, une vieille armoire à glace, une table, quatre chaises, le lavabo, quatre gravures jaunies au mur. L'objet le plus monumental était une grande cheminée encore encombrée de tisons noircis abandonnés au milieu des cendres, et un tas de bûches empilées dans un coin de la pièce. La fenêtre s'ouvrait sur la partie ouest du pays, presque en surplomb de la vallée et toujours dans l'ombre, les toits piqués d'herbe, les parois humides, le grand escalier. Au-dessus de cet humble paysage, comme s'il fleurissait de la grisaille, s'élevait pourtant un haut clocher, puissant et blanc, qui dominait.

Le gros du pays s'échelonnait du côté opposé, et Elena, sortant de chez elle vers midi, se crut au milieu d'un décor de théâtre. Trois églises grises et blanches couronnaient les toits, composant avec leurs styles incroyablement divers une image fantastique. Les immeubles étaient petits et trapus, tous de la même pierre grise, avec des balcons en fer forgé. Dans la clarté matinale, les rues grouillaient de silhouettes noires.

L'école était installée dans un vieil édifice en amont du pays. A l'intérieur, les couloirs étaient obscurs et humides, tout le mobilier scolaire vétuste; les bancs, les estrades, les cartes géographiques, les tableaux noirs, dégageaient une odeur de moisi, comme si la respiration de milliers d'enfants se fut figée partout avec la poussière. Le corps enseignant apparut à Elena peu différent de ceux qu'elle avait connus dans ses expériences précédentes, sauf qu'ils semblaient tous, hommes et femmes, un peu plus pauvres et mal habillés. Elle constata que tous manifestaient un grand respect pour le directeur. Celui-ci avait un très beau nom : Amedeo Battaglia, mais il était minuscule, pâle, un peu chauve, bougeait et parlait avec des petits sursauts impérieux, paraissait en continuelle représentation. Il ne tenait jamais en place, et lorsqu'il s'immobilisait, curieusement sa jambe droite restait suspendue et vibrait.

Le directeur Battaglia la reçut brièvement dans son bureau. Les mains nouées derrière le dos, il expliqua que le pays avait des traditions séculaires et que l'école faisait justement le lien culturel entre le passé et le présent. L'entretien dura cinq ou six minutes : Elena l'écouta avec attention, et le directeur Battaglia se demanda si cette attitude de respect était sincère ou simulée. Il dit enfin :

– Nous vous avons trouvé un logement depuis hier soir.

Il parut vraiment satisfait des remerciements d'Elena et conclut :

– Ce petit appartement a été mis à votre disposition par l'avocat Bellocampo et je me fais un devoir de vous demander de le remercier personnellement! C'est un homme éminent...

– Monsieur le directeur, je le ferai avant ce soir.

– C'est bien, c'est bien.

Il tint à l'accompagner jusqu'à la classe afin de lui présenter ses élèves qui, depuis une semaine, attendaient la nouvelle institutrice. Ils étaient quarante-deux groupés sur à peine huit bancs et, de cet entassement émanait une telle odeur de bouc qu'Elena se sentit prête à suffoquer :

ils étaient tous également sales et inquiets, bougeaient sans cesse, s'agitaient, riaient, certains étaient vraiment des enfants, d'autres, au contraire, grands et gros avaient déjà le menton couvert de poils. Tout le long de la matinée, ils se montrèrent incroyablement excités par la présence de cette jeune maîtresse étrangère : au fur et à mesure qu'elle les regardait, rires et murmures s'éteignaient, et eux, se tapissaient littéralement sur les bancs.

Elena essaya d'en interroger quelques-uns, de demander leur nom, prénom et quelques notions élémentaires mais n'en retira qu'une impression désolante : presque tous s'exprimaient en dialecte et plusieurs se révélaient carrément débiles; ils la fixaient en silence avec un sourire effaré et ne répondaient même pas.

Pendant la récréation elle s'aperçut que tous ses collègues semblaient impressionnés par le fait que l'avocat Bellocampo lui ait loué cet appartement. Ce nom provoquait des réactions indéfinissables, entre l'émotion et le dégoût. Une vieille institutrice qui s'appelait Giustolisi avait dit :

– Je vis dans ce pays depuis quinze ans et je ne l'ai jamais vu...!

Un autre maître, nommé Solarino, ajouta :

– Il sort à l'aube et se promène seul dans la grand-rue déserte, un serviteur marche à dix pas derrière lui. Il ne veut rencontrer personne...

Un troisième expliqua :

– Son unique fils est mort à la guerre, sa fille s'est enfuie avec un homme il y a quinze ans et n'est jamais revenue...!

Un petit instituteur moustachu d'à peine vingt ans dit simplement :

– C'est un homme tragique!

Le plus extraordinaire de tous les collègues qu'Elena connut ce matin, lui parut être le maître Belcore : il souriait toujours, se montrait attentif et courtois envers chacun mais laissait en réalité deviner une profonde mélancolie. Il marchait, parlait, souriait avec une certaine lassitude. Il avait pourtant une très belle tête, les cheveux longs et frisés avec quelques fils blancs, un nez et des lèvres aux lignes antiques, des yeux très noirs et doux. Il donnait aussi l'impression d'être un peu négligé, sans doute à cause de la façon dont il s'habillait, sans cravate, crayons et stylos accrochés à la poche-poitrine, l'écharpe flottant négligemment sur sa veste, les cheveux décoiffés.

Cet homme parut à Elena plus intelligent et plus humain que les autres : elle était surtout curieuse de ce sourire dans lequel elle lisait une imperceptible ironie. Ils échangèrent quelques banalités :

– En sortant, ce matin, j'ai entrevu le pays... Comment sont les gens ici?

– Pauvres et ignorants. Mais ne vous en inquiétez pas... vous ne devez y rester qu'un an!

– Un an c'est long...

– Le plus dur est de passer l'hiver, puis arrive le printemps, toujours splendide, la vallée se couvre d'herbe... Vous emmènerez les enfants à des promenades archéologiques... Vous ne le savez pas? Nous avons les vestiges d'un petit théâtre grec sur la colline...

– J'aimerais le voir! Je crois qu'il n'y a rien d'autre à faire...

– Je peux vous y accompagner dans l'après-midi. Au sommet de la colline il y a aussi les ruines d'un château normand.

L'après-midi, ils y allèrent ensemble. Belcore avait une petite Fiat et conduisait curieusement. Il se cramponnait au volant comme s'il s'efforçait de le retenir, le regard fixé sur la route, les yeux tremblants. Elena comprit qu'il avait fait un long détour pour éviter de traverser le pays en se montrant avec elle. Il était si ému qu'il n'osait même pas changer de vitesse par crainte d'effleurer son genou. En marchant sur le sentier, il resta tout le temps à quelques pas de distance. Il avoua tout à coup, sur le ton de la confidence :

– Il n'y a jamais eu, ici, une institutrice aussi belle que vous...

Vue du haut de la colline la vallée apparaissait encore plus vaste : au loin courait une petite rivière blanche et verte mais on n'apercevait aucune ferme ni bergerie. Au milieu de toute cette terre vide, le village imposait une dominante grise et semblait, lui aussi, subitement désert.

Ils restèrent assis un moment sur les remparts du château.

– Ce pays a été détruit trois fois, d'abord par les Sarrazins, puis par les Vikings, et enfin par le tremblement de terre... pourtant les habitants sont toujours revenus le reconstruire au même endroit...

– Il doit y avoir une raison...

– Peut-être la peur, la superstition, qui sait...?

Lorsque le soleil glissa derrière les montagnes à l'horizon, la lumière se transforma brutalement, une nappe de brume monta du fond de la vallée et un vent glacé se leva. Ils rentrèrent. Elena voulut descendre de voiture dès les premières maisons pour lui éviter un nouvel embarras. Elle ne tenait pas à lui faire savoir qu'elle allait rendre visite à l'avocat Bellocampo. Elle expliqua :

– Je préfère continuer à pied, pour découvrir un peu les rues!

En réalité, l'agglomération était formée d'un dédale de traverses, ruelles, escaliers, au milieu desquels s'ouvrait la grand-rue, c'est-à-dire l'unique vraie rue, longue d'un kilomètre et légèrement montante. Sur le plus haut point s'élevait la cathédrale, au faîte d'un vertigineux escalier, avec trois grandes portes de bronze et deux rangs superposés de colonnes blanches. Isolée et superbe, celle-ci dominait le pays et la vallée comme une apparition magique. Une autre église surgissait à mi-chemin de la rue : elle avait deux petits clochers, chacun surmonté de trois statues de pierre; la troisième église, enfin, s'érigeait plus bas, au-dessus d'un océan de toits, avec une douce coupole couleur plomb et un clocher aussi fin qu'aérien.

En s'engageant dans la rue, on voyait les trois églises

dans une perspective qui donnait tout de suite une sensation d'infinie splendeur, comme si l'on foulait du pied un lieu exhumé et fabuleux. Les petits immeubles de pierre jaune, avec leurs bosselages et caryatides, les balcons travaillés, l'empreinte du temps, les grosses corniches usées, les couleurs effacées, accentuaient cette vision de décadence triomphale et de solitude.

Comme au matin, la rue était animée. Sur toute sa longueur s'ouvraient la mairie, la caserne des carabiniers, les rares boutiques et commerces, trois cafés et une myriade de cercles ou d'associations dont chaque porte était surmontée d'une enseigne, comme si la population entière était divisée en groupes, sections, catégories, selon la fortune, la profession, la politique, la malchance ou les sympathies personnelles. Le cercle de la culture possédait un vieux billard, une salle de lecture et une salle de jeux, avec de grands abat-jour verts, et là se réunissaient chaque soir les personnalités bourgeoises du village, c'est-à-dire les employés et les propriétaires terriens. Il y avait aussi le cercle des agriculteurs, des combattants, des mutilés civils, des maçons, des ouvriers et des artisans. Les syndicats et les partis avaient chacun leur siège : une seule pièce au rez-de-chaussée, un drapeau sur les murs, des portraits, des affiches, des tables et des chaises pour jouer aux cartes.

En réalité, dans tous ces endroits on jouait surtout aux cartes : vieux, jeunes, manœuvres, professeurs, mutilés, ouvriers, jouaient aux cartes, ou bien ils restaient assis le long du trottoir, se promenaient par petits groupes, ou encore sortaient d'un cercle pour entrer dans un autre. Et tout cela donnait l'impression que la rue fourmillait d'hommes participant à on ne sait quelle activité laborieuse.

Elena visita la première église, puis continua de remonter la rue. Poussée par la curiosité, elle entra aussi dans une petite boutique de vêtements : il y avait une femme, épaisse, noire, avec des cheveux gris ramassés sur la nuque. Elle répondait par monosyllabes à toutes les questions, ne chercha même pas à vanter sa marchandise, et ne lui rendit pas son salut quand elle sortit. Elena revint immédiatement sur ses pas pour se faire indiquer la demeure de l'avocat Bellocampo. A ce nom la femme parut se réveiller. Elle accompagna la visiteuse jusqu'à la porte, avec empressement.

– Là! C'est là... A même pas cinquante mètres!

C'était justement la maison d'en face, presque à l'angle de la place, grise, lourde, avec trois balcons en fer forgé. Pas une fenêtre n'était entrebâillée, le lieu semblait désert.

Elena entra; devant elle s'ouvrit un monumental et fantastique vestibule, entièrement construit en vieilles pierres blanches, une très haute voûte avec une série de petites fenêtres rondes, et un grand escalier central. Il planait une odeur d'humidité profonde, semblable à celle des églises; toutefois, dans cette atmosphère de pénombre, quelques vases de terre cuite libéraient un enchevêtrement de bégonias. Leurs grandes feuilles rouges étaient l'unique tache de couleur dans la vaste étendue blanche et funèbre.

Tout à coup Elena sentit que de l'une de ces fenêtres aveugles, quelqu'un était en train de l'observer. Elle venait d'atteindre le sommet de l'escalier, lorsqu'une porte s'ouvrit lentement. Un petit homme chauve apparut. Il fit un bref signe de tête et s'écarta pour la laisser passer, sans même lui demander ce qu'elle voulait.

– Veuillez entrer.

Ils traversèrent une antichambre obscure, puis une pièce plus vaste, jusqu'au salon : quatre portes masquées par autant de tentures de velours, un grand divan dans chaque angle, les murs entièrement recouverts de rayons soutenant des milliers de livres reliés cuir. Au centre un seul tapis, un fauteuil et un pupitre d'ébène. Il y avait une odeur insupportable de vieux bois et de cire, aucune infiltration de lumière; Elena éprouva l'absurde sensation d'être subitement détachée du reste du pays : le grand soleil de la vallée, la cathédrale, les gens, les rues balayées par le vent, tout avait disparu comme dans un autre temps, une autre époque. A cet instant l'une des portes s'ouvrit et parut un vieillard qui fit une imperceptible révérence.

– Je suis Antonio Bellocampo...

Mince, les cheveux longs et blancs, le costume noir, la canne à pommeau d'argent, l'avocat Bellocampo était d'un âge indéfinissable. En découvrant ses yeux noirs et brûlants on pouvait lui donner cinquante ans; mais à en juger par la gracilité du corps et le teint cireux de la peau, il devait en avoir quatre-vingt-dix. Son visage était très beau, des traits fins dominaient la découpe délicate du nez et de la bouche. Elena fit elle aussi une petite révérence hésitante.

– Je suis l'institutrice Vizzini... Je viens vous remercier...

En lui serrant la main elle eut presque un mouvement de recul. La main de son interlocuteur était si transparente qu'on apercevait les filaments des muscles et des veines.

– Me remercier de quoi? Je vous en prie...

Il la guida vers une autre pièce, avec le geste du chevalier accompagnant sa dame au centre de la salle pour une danse. L'endroit était d'aspect encore plus fabuleux. Elena n'avait jamais rien vu de pareil. Il était encombré d'une myriade de choses : un piano à queue noir, un écritoire avec des chandeliers d'argent, un petit divan de cuir noir, deux grands fauteuils, une table minuscule avec une partie d'échecs déjà commencée.

Ils s'assirent l'un face à l'autre, Elena sur le divan et le vieil homme presque au bord du fauteuil, droit, les genoux unis et les mains appuyées sur sa canne. Il la fixait en souriant comme s'il était en train de la juger et Elena eut peur. Elle chercha quelque chose à dire :

– Votre maison est très belle... vous avez des millions de livres...

– Treize mille exactement... Ma famille s'honore de

posséder la bibliothèque la plus complète de la province. Tout ce qui a été écrit sur la Sicile... histoire, traditions, légendes... nous le possédons! Depuis des années, ma famille construit ce patrimoine avec une extrême patience... Naturellement tous ces livres sont à votre disposition s'ils peuvent vous servir...

Peut-être parce que son habit noir flottait sur son corps, il donnait l'impression d'avoir lentement vieilli, et de s'être peu à peu engourdi à l'intérieur. En même temps et sans doute pour la même raison il faisait penser à un enfant déguisé en vieillard. Elena dit :

– Je ne suis pas seulement venue vous remercier, mais aussi vous parler de ma dette... je veux dire le loyer...

Il ne lui laissa pas le temps de compléter sa phrase :

– Il n'y a pas de loyer... Cette petite maison vide me serrait le cœur... Une maison vide est semblable à quelque chose qui meurt. J'ai au contraire plaisir à savoir que votre présence rendra cet endroit encore plus vivant et que vous serez heureuse de vous y trouver... à votre aise, protégée...

Il s'arrêta dans un sourire.

– Ou je me trompe?

– Non, non... c'est parfait, je n'aurais jamais imaginé trouver une maison aussi intime, elle semble avoir été construite pour une femme seule...

Le vieil homme parut heureux.

– ... une femme qui aime la solitude, la sérénité de la réflexion... Ma sœur Giovanna était ainsi, ce petit appartement fut en fait construit pour elle qui désirait vivre seule avec sa vocation.

Il eut à cet instant un vrai sourire d'enfant.

– J'aimerais vous faire goûter une liqueur extraordinaire. Cela aussi appartient seulement à ma famille. J'avoue que mon père en prenait soin avec autant de jalousie et de fierté que ses livres.

Il s'était levé. D'un coffre, il retira une bouteille très effilée et deux petits verres de cristal qu'il déposa sur une table. Il les remplit d'un liquide vert qui répandit immédiatement une forte odeur de menthe. Il offrit un verre à Elena et leva le sien.

– Attention, il faut à peine y tremper les lèvres. On la respire... il paraît qu'elle possède d'extraordinaires vertus érotiques...

« Écoute ce vieux, pensa Elena. Si une femme le touche il est capable de tomber en morceaux... »

Ils trinquèrent en silence et en souriant. L'avocat Bellocampo humecta à peine la pointe de sa langue.

– Voyez-vous, cette chambre destinée à vous accueillir appartenait à ma sœur Giovanna qui, à dix-huit ans, fut prise d'une grande dévotion et voulut se cloîtrer. Mon père adorait sa fille, d'une beauté superbe et douce, les cheveux longs, très noirs, la peau blanche, des yeux comme le velours... toute fine et délicate, la voix presque musicale... Quand mon père comprit que Giovanna désirait entrer dans les ordres, il devint fou de colère, mais ne réussit pas à s'y opposer parce que Giovanna était aussi pieuse que belle.

Il reprit les deux verres, en tendit un à Elena, et ils burent, tous deux, en ne baignant que la pointe de la langue. Elena pensait :

« Écoute ces paroles passionnées! Il parle de sa sœur avec la nostalgie d'un amant abandonné. Cette liqueur est en train de m'arracher la langue. Et s'il voulait m'empoisonner? »

L'avocat Bellocampo posa à nouveau son verre comme une chose précieuse, eut un petit geste de résignation accompagné d'un soupir.

– C'est dans ces circonstances que mon père fit construire cette maison pour que Giovanna puisse y vivre seule avec ses pensées.

– Et alors?

– Elle mourut à trente-six ans. Sans être malade ni même malheureuse, elle avait seulement quelque chose qui la dévorait en dedans, une espèce de passion pour Jésus-Christ. Elle restait agenouillée devant le crucifix pendant des heures... Dieu me pardonne, j'ai quelquefois pensé qu'elle était amoureuse de Jésus... elle devint toujours plus mince, plus petite... elle semblait pourtant toujours plus heureuse et en extase, elle ne mangeait presque plus, jusqu'à ce qu'un matin on la retrouve morte...

Elena eut un frisson :

– Et la maison?

– Mon père aussi fut pris d'une grande dévotion religieuse. Il allait, chaque soir, dans cette pièce, s'agenouillait près du lit vide de Giovanna et priait. Il vieillit et mourut en l'espace d'un an. Ainsi la maison est restée déserte pendant quarante ans et maintenant je suis heureux qu'elle reprenne vie.

Il se leva brusquement, comme s'il avait compris qu'Elena se sentait lasse :

– Je serais extrêmement flatté si un jour de votre choix vous vouliez me faire l'honneur d'accepter une invitation à déjeuner...

Il lui baisa délicatement la main et Elena rougit violemment, elle faillit éclater d'un rire ridicule parce que c'était la première fois qu'un homme lui faisait un baisemain.

– Maître, je ne sais comment vous remercier de votre gentillesse...

– Votre jeunesse est déjà une récompense.

Il tint à l'accompagner jusqu'au seuil, et continua de sourire du haut du grand escalier jusqu'à ce qu'Elena franchisse le portail. L'air était encore empli d'une imperceptible lumière, mais les réverbères de la grand-rue étaient déjà allumés. Elena entendit un salut poli s'élever d'un groupe de personnes assises devant le cercle de la culture : c'était cet homme grand, myope aux yeux bleus avec qui elle avait voyagé. Il resta debout, le chapeau à la main, jusqu'à ce qu'Elena ait rejoint la place.

Elle était vraiment au cœur du village, avec cette superbe église du XVIIe, la mairie, deux petits immeubles gris et roses, les douze lauriers et les chaises en fer disposées en cercle. Le nombre de gens qui la remplissaient était si important qu'Elena hésita à la traverser en diagonale. Tout à coup, apparut l'homme à la grande tête noire et la splendide cravate. Il lui barra le passage.

– Je vous attendais.

Immédiatement, Elena tenta de le repousser mais il se mit à marcher à reculons devant elle, avec le même regard moqueur. Les gens observaient la scène, sans broncher.

– Si vous voulez bien me faire l'honneur d'accepter un cognac... J'ai attendu tout l'après-midi...

Elena changea de direction, essayant d'atteindre l'autre trottoir, mais l'homme la suivit. Il se penchait vers elle en lui parlant, lui confiait avec une note d'agressivité dans la voix des fantasmes, des vulgarités.

– Vous me plaisez beaucoup, vous me plaisez tout entière... même ce qui ne se voit pas...

Subitement Elena se planta face à lui avec un cri de colère :

– Vas-t'en, voyou!

Mais l'homme ne bougea pas. Il se pencha cette fois si près d'elle qu'il l'effleurait de son souffle, la bouche dans ses cheveux, et Elena en eut un tel effroi qu'elle se mit à courir. Elle tremblait.

– Lâche, lâche!

Elle le vit de l'autre côté de la rue, qui riait, cherchant à rendre les autres complices. Les bras appuyés sur le toit d'une voiture, il continua de rire en la regardant. En un instant, une petite foule s'était groupée dans ce coin de la place. Les gens étaient sortis des cercles et des bars, et ne bougèrent pas quand Elena, très pâle, dut se frayer un passage. Elle vit deux carabiniers déboucher à l'angle de la place. Elle n'hésita qu'un instant, s'engagea dans la traverse derrière l'église et parcourut les derniers mètres en courant.

Elle resta quelques minutes assise sur le bord du lit, dans le noir, en se concentrant sur sa haine.

– Bâtards, lâches... tous des lâches, pays de merde, sauvages!

La fatigue l'envahissait : un écœurement total. Elle s'étendit et resta immobile pendant plus d'une heure à penser :

« Ma mère a raison, ce sont des sauvages... la pauvreté, l'ignorance, des histoires... il n'y a rien à faire, ils ont ça dans le sang. Bâtards, lâches, pas un seul n'a bougé le petit doigt! »

En se rappelant sa mère, si menue, bavarde et inflexible, elle se sentit encore plus perdue, isolée.

« A ma place elle l'aurait frappé avec sa canne au beau milieu de la rue. Elle les aurait tous frappés, même les poltrons qui regardaient... Fils de chiens, je vais vous apprendre à insulter une femme... »

Elle s'assoupit seulement quelques minutes, puis se prépara un café, fuma une cigarette, se lava à l'eau glacée de la bassine et se rendit à l'école pour la consigne des registres. Elle comprit tout de suite que tous savaient déjà ce qui était arrivé, et pourtant personne n'en parla ni ne posa de questions. Ce comportement lui parut abject. Elle se sentit abandonnée. Ce n'est qu'au moment où elle s'apprêtait à quitter l'école que le maître Belcore l'approcha un instant :

– Je regrette! Aujourd'hui, j'aurais dû vous raccompagner...

Il aurait peut-être voulu ajouter quelque chose mais ne trouva pas les mots et lui renvoya un petit sourire triste.

– A demain!

Le lendemain à l'aube, deux paysans qui passaient à cheval trouvèrent l'homme à la grosse tête noire et à la splendide cravate, mort au centre de la place. Il avait reçu cinq balles de revolver, une au ventre, trois à la poitrine, la dernière à la nuque, tirée de si près qu'elle lui avait brûlé les cheveux. Il était assis sur une chaise de café, les jambes croisées, la tête toute droite, une petite fleur des champs glissée entre les lèvres. Malgré les cinq blessures, pas une goutte de sang ne perlait. On l'avait obligé à se déshabiller avant de l'abattre, puis on l'avait rhabillé. Deux paysans passèrent sans hâte le long de la rue et saluèrent : « *Baciolemani, Baciolemani* [1]... »

Installé de cette façon, il semblait vivant. Les paysans s'arrêtèrent à nouveau dans le coin le plus sombre de la place et attendirent. Un quart d'heure après, le chanoine Leone passa rapidement, emmitouflé dans une grande cape noire.

– Quel froid, quel froid!... marmonna-t-il en guise de salut. Ne recevant pas de réponse, il ralentit le pas, fit un long détour et revint tout près de l'homme assis.

Il l'appela deux fois à voix basse : « Monsieur Villarà... Monsieur Villarà?... » Brusquement, il recula de deux pas puis se mit à courir vers l'église, mais juste à ce moment, il aperçut les paysans immobiles dans l'ombre. Alors il changea subitement de direction pour aller frapper à la porte de la caserne, cent mètres plus haut.

A sept heures du matin la moitié du pays se trouvait sur la place. Le mort était au centre, dans sa position initiale. En attendant le juge, l'adjudant en chef des carabiniers avait donné l'ordre que personne ne le touche, et les gens silencieux se tenaient à distance respectueuse. Les plus vieux avaient pris des chaises au café voisin et s'étaient assis côte à côte. L'adjudant Orofino, qui avait la fièvre depuis deux jours, fit comme eux, et installa son siège à dix mètres en face du cadavre. Tout autour du mort et de l'adjudant qui occupaient le centre de la place, un cercle noir de spectateurs muets s'était formé.

A huit heures du matin, quand elle arriva à l'école, Elena était probablement la seule personne à ne pas savoir ce qui s'était passé. Elle remarqua, chez les autres, un comportement inhabituel. Quand il la vit, le concierge Allegrezza resta près de dix secondes, une allumette

1. Traduction littérale : « Je vous baise les mains. »

enflammée devant sa cigarette éteinte, avant d'ôter précipitamment son béret. Dans le couloir, deux collègues plus âgées la saluèrent avant qu'elle n'ait pu le faire, lui adressant un sourire dont elle ne comprit pas la signification. Le directeur Battaglia s'inclina presque devant elle et, tout en marchant, fit un curieux écart, comme s'il voulait offrir le plus d'espace possible à son passage. Dans la salle des réunions, où elle alla suspendre son manteau, les conversations cessèrent comme par enchantement.

Peut-être n'auraient-ils pas voulu la regarder de cette manière, tous ensemble, en silence, mais les choses se passèrent exactement ainsi, et Elena se tint un instant face à eux sans comprendre. Heureusement, la cloche sonna, et tout à coup la pièce fut vide. Le maître Belcore sortit le dernier. Il l'accompagna jusqu'à la porte de sa classe et dit simplement :

– Quelle splendide journée s'annonce!

– Vraiment splendide!

A dix heures, un carabinier vint demander Elena qui fut assaillie par l'idée angoissante que quelque chose était arrivé à sa mère. Le carabinier répétait presque mécaniquement :

– Je ne sais pas! Moi, je dois seulement vous accompagner à la caserne.

Elena enfila fébrilement son manteau. Le directeur plein de déférence, l'accompagna à petits pas rapides jusqu'à l'entrée. De la rue, elle entrevit la foule qui noircissait la place et pensa qu'il s'agissait d'une fête ou d'un meeting électoral. Elle monta l'escalier de la caserne, persuadée qu'on allait lui apprendre qu'un malheur était arrivé, et fut tout de suite reçue dans le bureau principal. A ce moment de la matinée l'adjudant Orofino avait plus de trente-neuf de fièvre. Il était assis près du poêle, une écharpe noire et sa capote sur les épaules. Il avait si froid que sa respiration ressemblait à une lamentation. Il écouta sans comprendre les questions haletantes d'Elena et finit par l'interrompre d'un geste interrogatif :

– Quand, mademoiselle... quel rapport avec ça?

Un carabinier lui apporta un café brûlant qu'il but à petites et lentes gorgées. A l'aide de la cuillère, il savoura le sucre resté au fond de la tasse, puis s'enfonça un peu plus dans sa capote.

– Excusez-moi, mademoiselle, mais pour l'instant nous devons seulement vous poser quelques questions. Connaissez-vous un nommé Calogero Villarà?

– Adjudant, je ne suis ici que depuis deux jours, je ne connais personne...

– Oui, mais ce Villarà, vous le connaissez certainement...

Elena étouffa une colère subite. « Malédiction, pensa-t-elle, c'est certainement le village le plus stupide et le plus ignorant de toute la Sicile et il fallait que je tombe dessus. » L'adjudant dessina une silhouette dans l'air.

– Un homme grand, le teint mat, les cheveux noirs, des moustaches... un homme élégant, il portait toujours une très belle cravate...

« Cet être dégoûtant, sale, lâche... lui! » Elle eut une hésitation imperceptible qui n'échappa pourtant pas à l'adjudant.

– Mademoiselle, vous êtes sûre de ne pas le connaître?

– Je ne connais encore personne ici adjudant. Mais pourquoi cette question?

– Parce qu'il a été tué, cette nuit, de cinq balles de revolver. Tout le monde le sait!

Ils se regardèrent quelques instants en silence, l'adjudant Orofino avec ses yeux étranges, luisants de fièvre, et elle, immobile, la respiration suspendue. D'un petit geste, il fit mine de déposer un objet devant elle.

– D'abord, on l'a tué, puis il a été installé sur une chaise, au milieu de la place... Voudriez-vous me faire croire que vous ne le saviez pas?

Avant qu'elle ne puisse protester l'adjudant se leva lentement et, d'un autre geste délicat la conduisit vers les fenêtres du balcon : on apercevait une grande partie de la place inondée de soleil, une foule noire et le cadavre au milieu, sur la chaise. Elena reconnut immédiatement la silhouette, cette grosse tête sombre, le costume gris, la cravate. Mort, l'homme lui parut encore plus obscène. Elle eut un frisson de dégoût et se retourna pour se retrouver face à face avec l'adjudant.

– Je suis sortie de chez moi pour me rendre directement à l'école. Là, personne ne m'a rien dit, je n'étais pas au courant.

Elle se mit à trembler : la promiscuité de cet homme malade, ce visage gonflé par la fièvre, lui devinrent insupportables. Mais l'adjudant ne bougeait pas d'un centimètre.

– Mademoiselle, vous voyez bien que vous le connaissiez? Cet homme, Calogero Villarà, vous a offensée hier après-midi sur la place publique...

Elena l'écarta afin de se dégager.

– Je vous en prie...

– Est-ce vrai, oui ou non?

– Bien sûr que c'est vrai...

Elle se mit à hausser le ton, perturbée par l'humiliation et la colère qu'elle ressentait.

– Oui, c'est vrai, parce que c'est un pays de voyous... On peut y insulter une femme sans qu'il ne se passe rien, tout le monde regarde et se met à rire... vous, où étiez-vous, où étaient les carabiniers?

Instinctivement, elle poussa la chaise pour signifier qu'elle refusait de s'asseoir et de se faire interroger plus longtemps :

– Oui monsieur, cet homme m'a insultée en public, mais je ne le connaissais pas, je ne savais même pas son nom. Je le voyais pour la première fois... et il s'est comporté en voyou.

L'adjudant avait un peu pâli, il enleva son pardessus et sa casquette : apparut un crâne blanc garni de rares cheveux collés les uns aux autres. Il jeta le manteau et la casquette sur la chaise.

– Cependant cet homme a été tué!

– Et qu'ai-je à y voir? Que voulez-vous que je vous dise de plus?

A ce moment entra, essoufflé, un caporal-chef si grand et si gros qu'il remplit à lui tout seul un des angles de la pièce. Le plus drôle était que malgré la fatigue d'avoir fait grimper à son corps volumineux les escaliers au pas de course, il s'avança vers l'adjudant presque sur la pointe des pieds, comme s'il voulait rendre sa présence invisible. Il murmura :

– Le juge Occhipinti est arrivé.

L'adjudant retira son écharpe, se fit aider à enfiler sa capote, mit la casquette sur sa tête et s'empressa de boutonner fébrilement son manteau. Il fit un geste vers Elena :

– Vous pouvez partir mademoiselle, merci! Nous vous reconvoquerons.

Le juge enquêta plus d'une demi-heure sur la place et ce fut un véritable spectacle. C'était un homme jeune et mince, avec des cheveux noirs, des lunettes, un long pardessus, un petit chapeau de feutre et des mains minuscules. Il fumait une cigarette après l'autre; très bien élevé, il serra la main de tous les carabiniers. A mesure que l'adjudant racontait, il acquiesçait avec des hochements de tête et des petits sourires. D'abord, il contourna lentement le cadavre en l'observant avec attention. L'adjudant se tenait toujours respectueusement derrière lui, à une distance de deux pas. Au moment où le juge se tournait pour lui poser une question, il franchissait rapidement ces deux pas, s'inclinait avant de donner la réponse et reculait à nouveau.

– Comment s'appelait-il?

– Calogero Villarà, trente-deux ans, profession courtier!

– Courtier en quoi?

– Tout ce qui peut se vendre et s'acheter : voitures, terrains, maisons, oranges...

– Casier judiciaire?

– Escroquerie, exploitation de l'émigration clandestine, extortion sur la main-d'œuvre, et voies de faits. Neuf fois inculpé, deux fois condamné : quatre ans pour association de malfaiteurs et deux ans pour recel.

– Politique?

– Il a fait campagne pour le député Zappulla...

– Comportement?

– La main leste, arrogant... respectant pourtant l'interdiction de port d'armes.

Le juge palpa légèrement les vêtements du cadavre et l'adjudant remarqua à voix basse :

– Rien, il n'était pas armé; dans la poche droite, le portefeuille contenait cinquante mille lires. Il n'y a pas eu vol.

Le juge souleva un bras du cadavre et le laissa retomber; il avait appris que la rigidité du cadavre permettait d'établir avec plus ou moins de précision le moment du décès, mais le corps tout entier perdit l'équilibre précaire qui le maintenait et se mit à glisser lentement vers le sol.

– Attention!

Le caporal-chef le rattrapa à temps et le remit délicatement dans sa position initiale. Le juge observa avec attention les chaussures, les pantalons et les ongles pour voir s'il n'y avait pas trace de boue ou de poussière; il regarda aussi les cheveux. Puis il inspecta toutes les issues de la place pour essayer de comprendre de quel côté étaient arrivés les assassins avec ce fardeau, et chaque fois qu'il passait, suivi de l'adjudant, du greffier et du caporal-chef, la foule reculait lentement, silencieuse, attentive à ne perdre aucun geste.

Vers midi, une voiture arriva, un homme et une femme en sortirent puis, avec beaucoup de soin, ils aidèrent un autre homme à descendre. Celui-ci était très vieux, presque enseveli dans un grand châle, avec un chapeau noir enfoncé jusqu'au milieu du front. De son visage, on n'apercevait que deux petits yeux larmoyants et une bouche exsangue. Ils l'accompagnèrent à petits pas vers le centre de la place en le soutenant par les bras et là, le vieillard se trouva face au cadavre. Il regarda et pleura en silence. On lui apporta même le petit fauteuil d'un café et on le fit asseoir. Il continua à pleurer silencieusement, les mains appuyées sur sa canne, jusqu'à ce que l'homme et la femme le soulèvent et l'emmènent. Derrière les vitres du balcon de la caserne l'adjudant-chef Orofino expliquait au juge :

– Le père de Villarà! Les rhumatismes lui rongent les os. Il y a cinq ans il travaillait encore la terre...

Le juge Occhipinti et l'adjudant-chef parlèrent trois heures. Ils interrogèrent au moins trente personnes, y compris le chanoine, le propriétaire du café et les deux paysans qui furent les premiers à avoir vu le cadavre. Progressivement, tout ce que Calogero Villarà avait été de son vivant devint parfaitement clair; restait à comprendre qui l'avait tué et pourquoi.

Assis d'un côté et de l'autre du poêle, le juge et l'adjudant-chef parlèrent encore deux heures, mangèrent deux boulettes de riz sicilien, des petits pains avec du saucisson, burent quatre ou cinq cafés et fumèrent sans interruption. Maintenant, l'adjudant devait avoir quarante de fièvre, ses yeux pleuraient, des quintes de toux lui secouaient la poitrine. Avec une vieille et longue cuillère de fer il remuait continuellement la braise et replongeait vite dans son manteau comme sous une couverture.

– Vous excluez donc le mobile de la jalousie...

– Exclu! Calogero Villarà avait, ces derniers temps, trois maîtresses; le mari de la première est un employé de la mairie incapable de tirer sur un lapin, le second est en prison pour escroquerie, et le mari de la troisième a émigré depuis deux ans en Allemagne.

– Disons un mobile d'intérêt?

– Intérêt de quoi? Mobile difficile. Villarà ne prêtait pas d'argent et ne s'en faisait pas prêter; il avait acheté deux maisons, une pompe à essence et ne traitait ses affaires qu'à Palerme.

– Les assassins sont alors venus de Palerme?

– Impossible. De minuit à l'aube, deux patrouilles de

carabiniers étaient en faction à l'entrée nord et sud du pays, et cette nuit il n'est passé aucune voiture...

– Alors la *vendetta*! Mais pour quelle raison?

– Au moins cent personnes de cette région pouvaient avoir un motif. Villarà était une espèce d'animal, généreux et brutal : il entrait dans un bar et offrait des tournées, mais pour une peccadille, un mot ambigu, il était capable de cogner sans retenue. Il se moquait, provoquait, insultait... Pourtant deux faits sont là...

– Lesquels?

– Le premier est que Calogero Villarà s'est cassé une jambe il y a deux mois et qu'il est resté jusqu'à la semaine dernière avec un plâtre l'obligeant à marcher à l'aide d'une canne. Comme tous les prétentieux il était aussi un peu lâche; il s'était donc tenu tranquille, sans se disputer, sans insulter personne... Si quelqu'un projetait une vengeance, quelle belle occasion tant qu'il était immobilisé!

– Et le deuxième fait...

– Le second est cette fleur qu'on lui a glissée entre les dents!

– Un déshonneur...

– Bien sûr! Sauf que ça n'était jamais arrivé... D'habitude *ils* mettent une pierre dans la bouche, ce qui veut dire qu'on a trop parlé, ou bien *ils* tirent avec une Lupara chargée de vieux clous et ça signifie que c'était un homme de peu... ou bien encore *ils* lui coupent la chose... et *ils* la lui mettent dans la bouche : ça signifie que le mort en avait abusé de son vivant, faisant outrage à l'honneur d'autrui. On connaît quinze autres façons déshonorables de tuer, mais personne n'avait encore jamais vu une fleur glissée entre les lèvres!

– Quelque chose de gentil, si on veut...

– Exactement! Finalement c'est un vieux paysan qui m'a donné la meilleure explication : ce serait la vengeance de la fleur... Villarà avait outragé une fleur et la fleur l'a tué.

– Magnifique! Mais je ne comprends pas.

– Monsieur le juge, réfléchissez. Qu'est-ce qu'une fleur? C'est joli, non? Et quelle est la plus jolie chose qui fut créée?

– La musique...

– Monsieur le juge, permettez... la plus jolie chose créée est la femme... Calogero Villarà avait offensé une femme... une insolence, une grossièreté... et c'est pour ça qu'il a été tué!

Le juge resta un long moment la bouche ouverte, retira ses lunettes et se mit à les nettoyer délicatement avec un petit mouchoir de soie. Entre-temps il fixait l'adjudant. Une brutale quinte de toux ébranla quelques instants ce dernier. Il semblait se déchirer en deux, pour finir épuisé et silencieux. Il remua péniblement les bras et attendit, recroquevillé, de retrouver son souffle. Le juge le regardait avec un sourire courtois mais impatient. Il finit par se pencher en avant et demanda :

– Calogero Villarà a-t-il vraiment offensé une femme? A-t-il usé de violence, de grossièreté?

L'adjudant répondit très doucement pour éviter une nouvelle quinte de toux.

– Hier soir! C'est peut-être une coïncidence... mais justement hier soir Calogero Villarà, en présence d'au moins deux cents personnes, a outragé une femme... il l'a poursuivie sur la place publique en lui faisant des propositions malhonnêtes.

– Qui est cette femme?

– Elena Vizzini, trente-deux ans, institutrice à l'école élémentaire locale, arrivée au pays depuis deux jours.

– Interrogeons-la immédiatement!

– Déjà interrogée! Elle ne sait rien. Elle ne connaissait pas l'homme et n'était même pas au courant de sa mort. Déclarations recueillies verbalement...

– Je veux l'interroger moi-même! Tout de suite.

Lorsqu'Elena sortit pour la seconde fois de la caserne il était six heures du soir et elle se sentait anéantie par la fatigue et l'humiliation. Pendant deux heures, le juge l'avait soumise à un feu roulant de questions. Les mêmes questions cent fois posées par l'adjudant : quand était-elle arrivée, pourquoi avait-elle choisi cet endroit, qui étaient et où habitaient ses parents, qui avait-elle connu au pays, où logeait-elle, que lui avait dit cet homme, d'abord dans le bus ensuite sur la place... De temps en temps il s'arrêtait de questionner, retirait ses lunettes en écarquillant les yeux dans le vide, se promenait lentement en silence, pendant quelques minutes, puis recommençait depuis le début. Patient, aimable, souriant. Une seule fois il avait poussé un cri de triomphe, se retournant sur ses talons et se plantant face à elle, quand Elena dit :

– Villarà m'a mis la main sur l'épaule.

– Et comment savez-vous qu'il s'appelait Villarà? Vous avez déclaré ne l'avoir jamais vu auparavant, n'avoir jamais entendu parler de lui...

Elena resta bouche bée, effrayée. Elle eut enfin un hurlement de rage :

– L'adjudant me l'a dit ce matin, c'est lui qui me l'a dit! C'est vrai, oui ou non?

L'adjudant acquiesça silencieusement. Il était effondré depuis deux heures dans un coin de la pièce, presque couché sur le poêle, comme un sac de chiffons; il écoutait, les yeux éteints. Le juge fit accompagner Elena dans une pièce voisine et se retourna vers lui.

– Qu'en pensez-vous?

L'adjudant écarta les bras :

– C'est une femme rusée, mais ça ne peut pas avoir été elle.

– C'est-à-dire?

– Calogero Villarà fut déshabillé, tué, puis revêtu, transporté sur la place et assis sur une chaise... Une femme ne peut avoir fait toutes ces choses...

– Ça, je l'avais compris.

– Et alors que voulez-vous savoir?

– Quelqu'un, cependant, peut l'avoir fait pour elle...

– Mais elle n'est arrivée que depuis deux jours, elle ne connaît personne, elle n'avait pas le temps, c'est la première fois qu'elle vient ici...

Ils étaient si fatigués qu'ils commençaient à se haïr. Le gigantesque caporal-chef au garde-à-vous près de la porte cherchait à exprimer du regard sa dévotion pour l'un et pour l'autre. Le juge fit une longue expiration nasale.

– Combien de repris de justice y a-t-il dans ce pays?

– Cent cinquante-neuf.

– Choisissez-en dix, les plus dangereux, je veux savoir où ils se trouvaient hier soir, où ils étaient cette nuit... Finalement arrêtez-les.

– La demoiselle...

– Laissez-la partir! Elle reste, bien entendu, à la disposition de la justice.

En se retrouvant au grand air, Elena eut une subite sensation d'étourdissement. Colère, déroute, joie, elle-même ne s'en rendait pas parfaitement compte. « Mais regarde quelle histoire conne! » pensa-t-elle. Elle aimait souvent imaginer des phrases vulgaires, violentes, qu'elle n'aurait jamais osé dire à voix haute: « Qui diable m'envoie dans ce pays sale et ignorant? Complètement seule au milieu d'individus qui vivent comme des animaux... suspectée pour l'homicide d'un homme que je ne connaissais pas... comment est-ce possible? C'est quoi cette connerie? Avant-hier j'étais encore à Catane, il y avait ma mère avec sa petite canne d'argent... »

La grand-rue était pleine de gens, les boutiques illuminées, les trottoirs encombrés de personnes assises. Elle se hâta de traverser la rue, quelques hommes s'écartèrent pour lui céder le pas, elle eut la nette impression que tout le monde la regardait. Devant le cercle des bourgeois, elle entendit un gentil salut, quelqu'un se levait du groupe et s'inclinait légèrement. C'était toujours ce monsieur aux cheveux blancs et aux yeux bleus, il se tenait devant elle avec un sourire poli, un peu hésitant.

– Mademoiselle, peut-être vous souvenez-vous de moi, dans le train... Je m'appelle Ermanno Sanguedolce et je suis le médecin municipal. Je voulais vous exprimer notre consternation pour ce qui arrive.

Les personnes qui étaient assises avec lui se levèrent

aussi poliment : seul l'un d'entre eux resta à sa place, un curieux petit homme aux cheveux gris très longs avec un pince-nez; il la fixait ostensiblement, le sourire arrogant. Les autres se présentèrent tour à tour un peu gauchement : le docteur Ignazio Sapienza, une figure blême et souriante, l'adjoint au maire Emanuele Crucillà, petit, gras, de fines moustaches presque invisibles, le géomètre Francesco Amodio, adjudicataire, grand, maigre, une épaule plus basse que l'autre, et le maire avocat Domenico Liolà, une belle figure ronde aux tempes grises, complet à veston croisé bleu, petites mains molles. Ils se regardèrent quelques instants en silence, souriant, puis Elena fit un salut un peu gauche, avant de prendre congé.

– Je suis très fatiguée, je ne voudrais pas vous déranger plus longtemps...

Ils s'inclinèrent tous les cinq et restèrent debout jusqu'à ce qu'ils l'aient vue atteindre le trottoir d'en face. Elena accéléra le pas, traversa rapidement la place et se mit à remonter la ruelle menant chez elle. A vingt mètres du seuil elle sursauta et ralentit instinctivement. Appuyé juste à l'angle de l'entrée il y avait un homme très étrange, enfoncé dans un long imperméable blanc, un béret rond sur la tête et des lunettes. Sa première réaction fut celle de fuir mais il était déjà trop tard. La rue était parfaitement déserte; elle continua à marcher lentement et le regarda bien en face pour tout de suite comprendre ce qui allait se passer. L'homme la fixait à son tour avec une espèce de sourire. Son visage était long et ovale, sa bouche petite. Les verres de ses lunettes de myope étaient si épais que ses yeux devenaient deux petits points sombres. Elena se retrouva à un mètre de lui; les jambes affaiblies par la peur, elle continua de le regarder en face jusqu'à ce que la clef entre dans le trou de serrure. Elle se mit à tourner sa main, une, deux, trois fois et entendit la voix de l'homme dans son dos :

– Bonsoir...

Elle ne répondit même pas, ne se retourna pas. Maudite

clef qui n'en finissait pas de tourner! Tout à coup, une terreur insensée l'envahit, elle cogna de tout son corps contre la porte, mais il restait encore un autre tour de clef. De nouveau la voix de l'homme :

– J'ai besoin de vous parler... une chose urgente...

Elle ouvrit le battant et fit volte-face. Il y eut un éclair aveuglant et, l'espace d'un instant, Elena se sentit mourir; plusieurs secondes s'écoulèrent avant qu'elle ne comprenne que l'homme avait pris une photo d'elle. La peur lui avait coupé le souffle. Elle fut incapable de dire un mot. Il se tenait au milieu de la rue, avec son appareil et le flash.

– Je suis Agostino Profumo, correspondant de la radio et du *Journal de Palermo*. Puis-je vous poser quelques questions?

Elena claqua la porte avec toute la force qui lui restait, tira le verrou, monta les escaliers en courant, ferma l'autre porte, barricada la fenêtre; elle fit tout ça dans une hâte aveugle, puis se laissa tomber assise sur le lit et se mit à rire.

Lentement, presque irrationnellement, la colère et la peur fondirent. Elena fit cuire deux œufs sur le petit fourneau électrique, mangea quelques biscuits aux amandes et une pomme restée dans la valise; elle se prépara un café avec soin, puis s'allongea sur le lit et fuma une cigarette dans la pénombre.

Il se passa, le lendemain matin, quelques petites choses en apparence insignifiantes qui, pourtant, une fois réunies, finirent par avoir un sens paradoxal. Quand elle sortit de chez elle, deux femmes assises côte à côte devant l'entrée la saluèrent ensemble.

Elle entra dans le bureau de tabac et le propriétaire, un petit homme chauve qui portait une blouse grise, fut extrêmement empressé pour la servir :

– Oui, madame, tout de suite!

Elle alla prendre un café au bar de la place et en tendant une pièce de monnaie fit tomber son sac : trois personnes se précipitèrent en même temps pour le ramasser.

Le fait le plus étrange survint à l'école : les enfants qui criaient devant l'entrée en attendant la cloche se turent immédiatement à sa vue et la saluèrent poliment. Le concierge Allegrezza en fit encore plus que d'habitude : il ota son béret et s'empressa d'ouvrir tout grand le portail; il semblait soucieux de lui être agréable.

Au lieu de se rendre dans la pièce réservée aux enseignants, Elena se faufila sans attendre dans sa classe encore vide et s'assit derrière sa table; un court instant plus tard la porte s'ouvrit délicatement pour laisser apparaître le directeur qui s'inclina dans une courte révérence.

– J'ai le devoir de vous exprimer la solidarité de tout le corps enseignant...

Il se contorsionnait, visiblement mal à l'aise.

– Mademoiselle, s'il vous semble utile de vous absenter quelques jours, voilà... il n'y aurait aucune difficulté.

– Monsieur le directeur, vous pensez que je devrais m'abstenir de venir à l'école?

En fait elle avait mal compris et le directeur eut un moment d'égarement.

– Pas du tout, pas du tout... nous sommes heureux...

La cloche sonna, le directeur resta sur le seuil de la classe, avec ses petits bras derrière le dos, le menton dressé, s'assurant que les enfants entraient en ordre et prenaient place en silence. Enfin il ferma délicatement la porte derrière lui en s'inclinant.

Dehors s'annonçait une de ces matinées d'octobre, gonflées de soleil, où la terre nue et brune réussit tout à coup, selon l'angle de la lumière, à faire naître des couleurs aussi profondes que ses propres humeurs. De la classe, on apercevait les campagnes de la vallée, le clocher blanc et triomphant, le profil presque bleu des montagnes. Elena ouvrit tout grand les battants d'une fenêtre et entendit le maître Belcore expliquer à voix haute une notion de géographie; au même moment, elle le vit apparaître dans l'embrasure de la fenêtre d'en face et lui adressa un geste souriant. Belcore parut hésiter un instant, sourit lui aussi et disparut.

« Toi aussi va au diable! » pensa Elena. Elle retourna doucement vers le pupitre, sans aucune envie de poursuivre son cours. Elle regarda les enfants qui la fixaient en silence.

« Allez au diable vous aussi! pensa-t-elle. Vous ne savez même pas parler l'italien, vous êtes sales, dans quelques années vous oublierez comment lire et écrire, vous épouserez une analphabète et ressemblerez à vos pères : travailler comme des bêtes, jouer aux cartes. Le soir vous resterez assis sur les bancs de la place et le dimanche vous irez à la messe en costume noir. Vous deviendrez vieux et vous mourrez. A quoi bon vous instruire? »

Elle demanda à l'un des enfants du premier rang :

– Toi, quel est ton nom?

– Calafiore Sebastiano.

– Que fait ton père?

– *Fatigueur.*

Tous les enfants se mirent à rire.

– Calafiore, que signifie *fatigueur*...?

Elle frappa du plat de la main sur le bureau : les enfants se tassèrent sur leurs bancs et Calafiore se tenait toujours très droit avec un sourire éteint. A ce moment quelqu'un cogna légèrement à la porte et il se fit un silence tombal. C'était le directeur.

– Excusez-moi, mademoiselle, mais je suis obligé de vous déranger...

Il y avait, dans le couloir, le gigantesque caporal-chef, chargé de l'accompagner jusqu'à la caserne.

Tout ce qui se trouvait dans le bureau contrastait avec la lumière aveuglante du matin : partout une saleté incroyable, composée tant de fumée que de charbon éteint, de vieux mégots, d'amoncellement de petites tasses sales. Le juge semblait pétrifié au milieu de ces choses, les traits relâchés, les paupières boursouflées, une myriade de minuscules poils blancs sur le menton, les dents jaunies de café et de nicotine. Il ordonna au caporal-chef de lire le procès-verbal de la veille et demanda à Elena si elle confirmait tout ce qu'elle avait dit.

– Je le confirme.

Le juge attendit qu'Elena porte sa signature au bas des quatre pages, les remit soigneusement dans l'ordre. On pouvait croire qu'il faisait exprès de la retenir, debout, devant le bureau. Il s'appuya enfin au dossier de sa chaise et la regarda d'une curieuse façon.

– Vous pouvez partir! J'espère que toutes vos déclarations correspondent à la vérité. Je dois toutefois vous informer que sur quarante personnes interrogées, pas une seule n'a confirmé vos dires, faits qui, pourtant, se sont déroulés sur la place publique. Personne n'a vu ce Calogero Villarà vous approcher, ni prononcer de paroles grossières. Pour plus de précision je dirai qu'ils ne se sont même pas aperçus de votre présence, ils ne connaissent pas votre nom, ils ne vous ont jamais vue. Rien de rien!

Il retira ses lunettes et la fixa sans un mot, comme s'il attendait une réponse de sa part, puis lui lança un sourire très subtil.

– Vous pouvez aller!

Au bas de l'escalier, Elena serra courtoisement la main du caporal-chef qui l'avait accompagnée :

– Comment vous appelez-vous, caporal?

– Caporal-chef Giovanni Ferraù!

– Un magnifique nom sarrazin...

– Oui, madame, sarrazin...

– L'adjudant n'est pas là?

– Malade, avec quarante de fièvre.

– Tous mes vœux...

Elle retint deux détails à propos du caporal-chef : qu'il avait une main ample et lourde comme une pierre et qu'il s'était respectueusement mis au garde-à-vous. En quittant la caserne elle eut l'impression de sortir du néant : un vent tiède faisait flotter le linge qui séchait aux balcons, l'herbe sur les toits, les lauriers, la bâche jaune du bar; on avait l'étrange impression que cette lumière aveuglante se répandait çà et là à travers le pays en même temps que le vent.

Elle comprit qu'elle était observée, des boutiques, du bar, derrière les vitres des cercles, par ces groupes d'hommes assis sous les lauriers. A mi-place elle croisa le maire qui avait, dix mètres avant, retiré son chapeau : cheveux, pardessus, cravate, volaient au vent. Tout en marchant, il s'inclina silencieusement, le chapeau toujours suspendu au-dessus de la tête. Dans l'autre coin de la place il y avait un prêtre, gras, grand, un peu voûté, avec des cheveux blancs et une écharpe de laine noire. Elle ne l'avait jamais vu auparavant, et pourtant l'ecclésiastique fit un petit signe de tête amical. Deux femmes enveloppées de châles noirs s'arrêtèrent et la regardèrent en silence.

Tout à coup, elle vit apparaître l'homme à l'imperméable graisseux et déchiré. Il était vraiment dégoûtant : son petit béret vissé sur le crâne, une vieille écharpe autour du cou, deux petits points noirs tremblants derrière les verres. Il ne dit même pas bonjour mais simplement :

– Vous avez vu?

Il déplia le journal qui publiait la photo prise la veille au soir. Elena se vit devant la porte de sa maison, les yeux écarquillés, l'expression mi-effrayée mi-hébétée. Comment diable avait-il fait pour acheminer ce cliché jusqu'à Palerme? Inexplicable. Ils restèrent quelques instants face à face, Agostino Profumo tenant le quotidien ouvert devant elle, et Elena regardant cette photo. Il finit par allonger le cou, comme s'il voulait se pencher au-delà du journal, et sourit.

– Peut-on vous parler, à présent?

D'un revers, presque une gifle, Elena fit voler le journal de ses mains, et pendant un moment encore, ils se regardèrent, lui un peu voûté, ses yeux roulant frénétiquement derrière les verres, elle avec une expression de mépris. Puis elle le repoussa et se dirigea droit vers l'école.

Dans le couloir, elle rencontra le maître Belcore et tous

deux eurent un temps d'hésitation, comme s'ils avaient voulu s'écarter dans un même mouvement; il lui sourit et s'arrêta :

– Je voulais emmener les enfants faire une promenade, mais ce vent s'est levé... Patience.

Il répéta ce sourire inoffensif quand, subitement, Elena sentit fondre en elle un besoin désespéré de parler, de demander secours à quelqu'un. Une incroyable douceur affleurait dans le regard de cet homme.

– L'église de la *Matrice* est vraiment aussi belle que vous me l'avez dit?

– Oui, elle est très belle...

– Vous aviez promis de m'emmener la visiter.

Le maître Belcore eut un regard perdu :

– Si vous voulez...

– Ou pensez-vous qu'il soit inconvenant de nous montrer ensemble?

– Pourquoi? Ça devrait l'être?

A cet instant le directeur apparut à l'angle du couloir; en les découvrant ensemble, il ralentit bizarrement sa marche, faisant les trois derniers pas presque sur la pointe des pieds. Ne sachant que dire, il se contenta d'adresser de légers hochements de tête en signe d'approbation.

– Bien, bien, déjà de retour...

Il insista pour l'accompagner jusqu'à sa classe, lui ouvrit la porte en lui cédant le pas, les mains derrière le dos, fixa les enfants qui s'étaient levés en silence, et, avant de sortir, s'inclina encore une fois.

L'après-midi Elena visita l'église de la *Matrice* avec Michele Belcore. Jamais elle n'avait imaginé qu'elle put être aussi splendide. Il y avait trois nefs avec deux rangées de colonnes de marbre se réunissant dans une très haute série d'arches. Le long des nefs latérales se dressaient quatre autels de part et d'autre, chacun en marbre vert et rouge, surmontés d'une gigantesque peinture du XVIIe et, là-bas, au bout de la nef centrale, l'autel principal, sur trois rangées d'escaliers au-dessus desquels s'élevait une statuette de bois représentant la vierge, littéralement recouverte d'or, d'argent et de pierres précieuses. Tout reflétait la splendeur du passé, une richesse absurde : les marbres qui revêtaient sols, colonnes et autels, les immenses lustres de cristal suspendus aux arches, ces tableaux impressionnants, ces tapis entourant l'autel central. Des vitraux bleus de la coupole filtrait une fabuleuse lumière, sans éclats, si bien que chaque ornement, image ou couleur, restait dans un halo d'ombre, sans disparaître tout à fait. Les seules choses vivantes étaient les centaines de cierges qui brûlaient partout dans la pénombre. Cette odeur de cire, de fleurs fanées et d'encens, ces figures saintes aux regards immobiles, ce silence absolu, émanaient une mystérieuse sensation de puissance.

Dans un frisson, Elena découvrit sous la table de chaque autel, au sommet des trois marches, une paroi de verre abritant un corps humain. Là reposaient les hommes qui avaient glorifié le pays. Les autels latéraux étaient quatre par nef, et autant les tombes transparentes. La première enfermait une espèce de guerrier médiéval, enfoui dans une armure rouillée d'où s'échappaient quelques lambeaux d'étoffe, l'épée posée au milieu des jambes, la tête apparaissait minuscule à l'intérieur du heaume. Puis il y avait deux moines à la tête bandelée dont la soutane avait jaunie sur le squelette, épousant les formes devenues obscènes. Ensuite, un gentilhomme à la cape sombre, une canne au pommeau d'ivoire posée en travers du ventre.

Dans la première tombe de la seconde nef on apercevait une noble dame, aux longs cheveux gris, revêtue d'une chemise blanche; sur ce qu'il restait de son visage, apparaissaient encore le nez, les orbites et l'emplacement de la bouche. C'était la forme humaine la plus révoltante : l'idée de la mort disparaissait devant celle, horrible, de la vieillesse. Le deuxième cercueil contenait la dépouille du fils d'un baron, un enfant de deux ans dont la mort suscita de nombreux prodiges : enrobé d'un linge immaculé, un rosaire entre ses petites mains noires, il ressemblait à un ange de plâtre commençant à s'effriter. Il y avait encore un autre guerrier au heaume gigantesque, gants de fer et éperons, qui fut tué par les infidèles durant la deuxième croisade, à la conquête des lieux saints. Michele expliqua :

– Ce chevalier s'appelait Michele Angelo Belcore, comme moi.

– C'est un de vos ancêtres?

– Qui sait? Il pourrait l'être! Il est presque canonisé : saint Michele Angelo Belcore...

– Vraiment! Et que fit-il?

– Ce devait être un singulier personnage. Poussé par une vocation mystique, il vendit tout ce qu'il possédait, arma une bande d'aventuriers et s'en alla participer à la sauvegarde du Saint-Sépulcre, mais pendant le voyage en mer il fut assailli par des brigands, torturé et passé par le fil de l'épée avec tous ses compagnons... Des années s'écoulèrent et la nouvelle arriva enfin jusqu'ici. Pour récupérer son corps vénéré, les habitants du pays organisèrent alors une collecte, offrant leurs richesses personnelles : anneaux, colliers, boucles d'oreilles, huile ou froment. Ces trésors furent confiés à un marchand de Catane qui, à son tour, les proposa aux émissaires des Sarrazins lesquels lui remirent, en échange, le corps de Michele Angelo Belcore, dans son armure encore bosselée par les coups. Allez pourtant savoir si les Sarrazins restituèrent le vrai corps du pauvre Belcore ou bien un squelette quelconque!

– Mais il y avait l'armure?

– Qui pouvait s'en souvenir? Cinquante ans s'étaient écoulés. Tous ceux qui avaient vu partir Michele Belcore avec ses guerriers étaient morts ou gâteux. Ce fut probablement ce marchand Catanais qui vola le corps dans quelque cimetière, acheta une vieille armure, installa le cadavre à l'intérieur, et vint conclure l'affaire.

– Pauvre Michele Angelo... Quel destin!

– En fait ils le sanctifièrent. On dit qu'il a accompli de nombreux miracles. En l'an mille quatre cent, il y eut un tremblement de terre et la population, prise de panique, se réfugia dans l'église en invoquant le nom et la protection de Belcore. Il y eut une terrible secousse, l'église s'écroula et tout le monde mourut...

– Un miracle très singulier...

– Les autorités ecclésiastiques ont au contraire décidé que c'était là un signe de bienveillance du chevalier. Les huit cents habitants qui périrent dans l'église furent absous de tout péché. Le bienheureux Belcore avait profité du tremblement de terre pour pouvoir les emmener tous ensemble au paradis!

– Romantique! Ils ont dû former une petite colonie sicilienne... une espèce de petit Brooklyn de l'au-delà.

– Peut-être que Michele se sentait seul! En réalité, je me suis toujours un peu méfié de ce soi-disant ancêtre.

Il se mit à rire. Quand il riait, le maître Belcore laissait échapper un long grognement du nez, puis enlevait invariablement ses lunettes et les essuyait comme si elles s'étaient embuées. Ils arrivèrent devant la dernière tombe. Elle était vide. L'intérieur était tapissé de satin rouge et gardait encore en son centre l'empreinte du corps qui y avait été déposé. Elena eut un hochement de tête interrogatif. Michele rentra les épaules, pour bien montrer qu'il n'y était pour rien.

– Ici reposait le frère du propriétaire de votre logement, le docteur Arnaldo Maria Bellocampo, savant, poète, astronome, essayiste qui domina pendant quinze ans le préfet local. Ils l'avaient inhumé en uniforme, avec le fez, la chemise noire, les bottes et le poignard, mais en 1943, quand les soldats américains occupèrent le pays, la foule s'empara de son corps et le traîna sur la place. Ils jettèrent ses restes dans la fosse commune du cimetière.

– Ils le haïssaient tant?

Michele fit un geste vague.

– Ce n'était pas une question de haine.

Ils sortirent de la cathédrale alors qu'il faisait déjà nuit. Sur la place, la foule avançait à leur rencontre. Une marée d'hommes noirs gravissaient lentement les marches de l'église et, au milieu d'eux, un petit groupe d'hommes portait un cercueil. C'était le corps de Calogero Villarà qu'on conduisait à l'église pour les funérailles. Elena le comprit immédiatement en voyant les carabiniers mêlés à la foule. Michele Belcore eut un imperceptible tremblement dans la voix :

– Ils emmènent le corps de Calogero Villarà à l'église!

Cette foule silencieuse était impressionnante. On pouvait croire que tous les hommes du pays étaient là pour accompagner le défunt. Il y avait au moins vingt drapeaux représentant tous les cercles et associations arborant les rubans de deuil. En tête, marchaient le maire et le docteur Sanguedolce. Tout à coup Elena eut presque la tentation de pousser un cri railleur, de se mettre à rire en brandissant les poings. Là, dans la foule, on distinguait le directeur de l'école; derrière lui, au moins une vingtaine d'instituteurs avançaient eux aussi en silence, le visage triste, enfermés dans cette sombre marée de visages qui montaient, montaient.

Elena qui guettait l'ouverture du portail de l'église, se retrouva très vite au centre du cortège. Derrière lui, elle vit un vieillard, presque une larve humaine, avec un drôle de chapeau mou enfoncé jusqu'aux oreilles, enveloppé dans un énorme châle. Il semblait n'avoir même pas la force de marcher; en fait, deux femmes le soutenaient. Il s'appuyait sur leurs bras, la figure masquée sous le grand chapeau, mais Elena devina deux petits yeux féroces fixés sur elle. L'attente dura quelques secondes; le grand portail s'ouvrit lentement, la foule s'immobilisa pour regarder le vieil homme et les deux femmes disparaître dans l'obscurité de la nef.

Elena fit mine d'avancer, et tout de suite on lui laissa le passage. Elle descendit ainsi quelques marches puis se tourna vers le maître Belcore qui, deux mètres plus haut, descendait lui aussi en silence. Elle continua vers la place, à travers cette foule muette qui s'ouvrait devant elle. Le docteur Sanguedolce et le maire soulevèrent silencieusement leur chapeau, puis le directeur, le docteur Sapienza, quelques vieux paysans se découvrirent à leur tour. Elena ne répondit à personne, traversa lentement la place déserte et s'engagea dans la ruelle montante. Elle entendait, tout près d'elle, le pas du maître Belcore et lui adressa la parole sans même le regarder.

– Soyez gentil, accompagnez-moi à la maison...

Michele ne répondit pas et se contenta de marcher lentement à son côté. Ils avancèrent ainsi le long de la petite rue déserte qui la ramenait chez elle.

– Voulez-vous que je m'en aille?

– Non, je ne veux pas que vous partiez...

Elena prépara un café et Michele Belcore traversa paresseusement la pièce jusqu'à la fenêtre où il contempla longtemps la nuit. Ils échangèrent peu de mots, un vague sourire complice, comme si chacun d'eux acceptait déjà ce qui devait arriver. Elena alluma la lampe de l'abat-jour et éteignit le petit lampadaire.

– Je ne voudrais pas qu'on dise que je reçois des hommes...

Elle vint près de lui à la fenêtre : parmi les lumières perdues du pays, dans l'ombre, on distinguait la lueur des réverbères sur la place et, plus haut, la silhouette de la cathédrale. L'humidité l'enveloppait d'une fragile phosphorescence. Elena essuya la vitre voilée par leur haleine.

– Qu'est-ce qui se passe dans ce pays? Vous avez vu ces gens... ces yeux? On a beau essayer de comprendre, on ne devinera jamais ce qu'ils pensent.

Michele jouait négligemment avec la surface de la vitre. Il donnait l'impression de ne pas vouloir répondre, et son explication tomba avec la violence d'un couperet. La voix était pourtant neutre, le ton courtois :

– Ils pensent que vous avez tué Calogero Villarà.

– Bien sûr! J'ai tué Calogero Villarà.

Elle avait les yeux fermés, le front appuyé sur le verre humide.

– Je l'ai tué, je l'ai attendu, de nuit, et j'ai tiré. Puis je l'ai installé, bien en vue, au milieu de la place, et je lui ai même planté une petite fleur dans la bouche... Ça s'est passé comme ça, n'est-ce pas?

– Quelqu'un l'a fait.

– Et il l'a fait pour moi? Vous le pensez aussi?

– Je ne sais pas...

Elena se retourna brusquement et le frappa violemment de ses poings en pleine poitrine, il chancela.

– Qu'est-ce que tu ne sais pas... imbécile!

Michele Belcore réajusta ses lunettes qu'il perdait, la fixa un court instant, puis, sans un mot, ramassa l'écharpe et le livre laissés sur la table, mais Elena les lui arracha des mains.

– Et maintenant où vas-tu? Tu t'es vexé... ou bien tu as peur? Évidemment... Tu m'as compromise! Tu crains de subir le même sort que Villarà...

Elle jeta le livre et l'écharpe sur la table.

– D'accord, d'accord, va-t'en!

Une main chaude et lourde toucha son épaule, sa nuque; alors elle se tourna lentement : il avait enlevé ses lunettes, des mèches de cheveux tombaient sur son front, elle continuait de le regarder dans les yeux pendant qu'elle sentait sa respiration s'approcher. Elle ouvrit enfin la bouche et se serra contre lui de toutes ses forces; jamais elle n'aurait pensé que le corps de Belcore fut si ample et si fort, elle eut le sentiment d'avoir enfin trouvé quelqu'un de vivant, et elle s'y agrippa avec toute sa féminité, avec les lèvres, avec les bras, avec le ventre.

Elle ne s'aperçut même pas qu'il l'avait un peu soulevée et la poussait en arrière. Tombant tout à coup à la renverse sur le lit, sous lui, elle lutta furieusement, plus par rage d'avoir immédiatement cédé que par la honte d'être prise ainsi, toute habillée. Elle se laissa pourtant aller, épuisée, vaincue, écrasée par la bouche de l'homme. Elle empoigna ses cheveux pour presser plus fort son visage contre le sien; elle prit la furieuse décision de faire vite et le seconda, haletante, dans chaque geste. Soudain elle se sentit vulnérable, ses jambes nouées à celles, nues de Michele. A mesure qu'elle se sentait pénétrer, un tremblement l'envahissait. Elle tenta de se redresser, le frappa sur la nuque, sur les épaules... Il y avait si longtemps qu'elle n'avait pas reçu un homme en elle, avec cette impression folle d'être déchirée, mais la douleur des premiers instants disparut et devint une douce, profonde brûlure. Pendant encore quelques secondes, la honte lui interdit de s'abandonner complètement à cette sensation, mais ne pouvant plus résister, elle commença à le suivre de plus en plus frénétiquement dans ses mouvements. Elle éprouva tout de suite un plaisir imprévu, violent, insupportable, et retomba sous lui dans une interminable plainte, les bras grands ouverts, inertes.

Il était presque minuit quand Michele Belcore sortit. Dans les rues désertes, un vent cinglant s'engouffrait partout. Michele laissa la porte entrebâillée pour s'habituer à l'air glacé du dehors, remonta son écharpe sur le nez et ferma la porte derrière lui. Dès qu'il commença à marcher, il eut la sensation agaçante que vingt mètres plus haut, quelqu'un le regardait dans l'ombre. Tout en continuant sa marche, il gagna progressivement l'obscurité du mur et se retourna pour voir : une silhouette rampait dans sa direction, de l'autre côté sombre de la rue. Alors il se mit à courir, s'engagea dans la première ruelle, s'arrêta tout au bout pour reprendre son souffle, il entendit les pas se rapprocher. Il continua sa course jusqu'à la place, gravit avec peine les escaliers de la cathédrale et s'immobilisa derrière les colonnes. Sa fatigue était telle qu'il abandonna un long moment sa tête contre la pierre. Il regarda l'étendue illuminée aux pieds de la colonnade. Personne. Brusquement, il vit déboucher d'une rue transversale, un homme qui courait, chancelant lui aussi d'épuisement et qui avait du mal à retrouver sa respiration, puisqu'il s'arrêta brutalement au milieu de la place, scrutant de tous côtés.

Il reconnut immédiatement Agostino Profumo : l'imperméable blanc qui voltigeait jusqu'aux chevilles, le béret, les lunettes, son écharpe qui pendait comme un chiffon. Michele eut envie de rire.

– Regarde un peu ce couillon! Il est encore plus myope que moi... qu'est-ce qu'il veut?

Il le vit traverser lentement la place, la tête penchée comme pour flairer quelque chose, puis s'approcher du grand escalier sur la pointe des pieds. Michele recula un peu plus dans l'ombre, ramassa un caillou et le lança vers lui. Agostino tourna la tête lorsque la petite pierre toucha sa chaussure dans un rebond ridicule; il s'immobilisa. Un autre caillou ricocha. Il sursauta, recula de quelques mètres et une troisième pierre heurta son mollet en lui faisant faire un autre saut. Il se recula sur une vingtaine de mètres en boitant, massa violemment son mollet en épiant les ombres de la nuit; il n'avait même pas compris de quel côté lui arrivaient les cailloux. Il décida tout à coup de se réfugier sous la bâche jaune du café. Il ne bougea plus, et Belcore resta quelques minutes à l'observer.

– Maudit aveugle! Tu ne m'as pas reconnu... sale fils de putain!

Dimanche, à dix heures du matin, puisque les quarante-huit heures établies par la loi s'étaient écoulées, les quatorze suspects arrêtés lors de l'enquête furent relâchés. Beaucoup d'entre eux allèrent directement au bar, s'installèrent sur les fauteuils alignés le long du trottoir et se firent servir un café : ils commencèrent à fumer, parler et rire.

A onze heures, Elena fut à nouveau convoquée à la caserne. L'adjudant était encore malade mais le juge Occhipinti se montrait presque de bonne humeur, rasé de près, reposé, avec un beau costume gris. Il lui posa des questions précises : si elle se souvenait de ses compagnons de voyage, qui lui avait trouvé cette chambre, si elle se rappelait les personnes avec qui elle avait eu l'occasion de parler ces derniers jours. Il lui demanda si on lui avait encore manqué de respect, lui offrit un café et deux cigarettes durant l'interrogatoire, et voulut l'accompagner jusqu'à la porte du bureau :

– Je vous souhaite un bon dimanche!

Dans la grand-rue et sur la place grouillait la foule du dimanche matin. C'était un spectacle qu'Elena n'avait jamais vu. Les hommes, vêtus de noir, avec la casquette ou le chapeau noir, emplissaient tous les trottoirs, les bancs sous les lauriers, les chaises du bar et des cercles. Les plus vieux s'étaient assis le long de la rampe d'escalier de la cathédrale. Pour la première fois, Elena vit aussi les femmes du pays : on avait l'impression que cette splendide matinée les avait soudain fait fleurir hors de la maison. Elena eut aussi l'impression qu'elles se ressemblaient toutes, noires de cheveux, les sourcils abondants, de petits yeux sur des visages longs et blancs. Elles se promenaient par groupes de trois ou quatre, descendaient la rue, atteignaient la place, faisaient demi-tour, remontaient à nouveau la rue. Elles marchaient bras dessus, bras dessous, sans parler, sans regarder ces rangées d'hommes noirs qui se pressaient sur les trottoirs et qui semblaient être tous là pour les voir passer.

Elena ne remarqua pas tout de suite la présence de cet homme marchant près d'elle, et puis le jeu d'ombres sur le trottoir l'agaça, elle changea de direction, en traversant la rue. Agostino Profumo la suivit et continua de marcher près d'elle. C'était la troisième fois qu'elle le voyait et il lui parut encore plus odieux, avec ce béret enfoncé sur la tête, ses yeux vifs qui dansaient derrière les verres, cet imperméable blanc crasseux. Elle eut même l'impression qu'il sentait mauvais.

Elle ne l'avait fixé qu'un instant mais c'était suffisant pour en garder un souvenir précis : un vieil appareil de photo autour du cou, des taches d'huile sur la chemise, un verre des lunettes fêlé, un tas de journaux fourré dans sa poche. Il l'accompagna une vingtaine de mètres en souriant.

– Puis-je vous parler, mademoiselle?

Elena changea à nouveau de direction et retraversa la rue, Agostino toujours dans son sillage. Les gens regardaient.

– Je comprends mademoiselle... mais je dois faire mon travail...

– Je ne veux pas vous parler, allez-vous-en!

Il lui jeta un regard empli de haine. Son menton était constellé d'une myriade de boutons suppurants et des petites touffes de poils s'échappaient des narines et des oreilles.

– Mademoiselle, je sais que ce matin vous avez été convoquée par le juge pour un nouvel interrogatoire. Il faut dire que le juge a fait une importante découverte, et ça, vous ne le savez pas...

Elena eut le sentiment que des centaines d'hommes les observaient. Elle s'arrêta net et regarda Agostino bien en face pour lui lancer violemment :

– Je ne veux pas vous parler! Allez-vous-en!

Toujours dans son sillage, souriant, marchant un peu courbé, il avait baissé la voix :

– Mademoiselle, je sais aussi qu'à minuit moins cinq, un homme est sorti de chez vous. Je l'ai vu! Il portait un costume sombre, une écharpe, des lunettes... Vous ne pouvez pas le nier...

Il se tut et se retourna avec des mimiques grotesques, s'assurant que personne ne pouvait les entendre.

– Mademoiselle, dites-moi qui était cet homme et moi je vous dirai ce que le juge a découvert.

– Salaud!

Elle l'insulta tout haut, pressa le pas, et, pour la troisième fois, changea de trottoir. Ils furent séparés quelques instants par la foule, mais Agostino réapparut tout de suite derrière elle.

– Alors, voulez-vous me dire qui était cet homme?

Elena se tourna brusquement en brandissant son sac et cogna de toutes ses forces sur le visage d'Agostino. Elle entendit le choc avant même de voir les lunettes tomber; elle le vit chanceler, battre des paupières. Ses journaux glissèrent de sa poche, il se baissa en tâtonnant pour retrouver ses lunettes. Dans un rayon de cinq ou six mètres, personne ne soufflait mot; ils regardaient, tous, immobiles. Quelques-uns se levèrent silencieusement pour la saluer; le maire, les deux médecins et quelques autres. Elena répondit d'un léger signe de tête. Elle monta sans hésitation jusqu'à la cathédrale, et se faufila prudemment au milieu de cette affluence de femmes dans l'obscurité, vers une chaise libre. Elle resta ainsi, assise et arrogante parmi ces inconnues à genoux et pensait: « Mon Dieu, ici, tu n'es certainement pas! Je parie qu'à force de rester dans ce pays, tu t'es, Toi aussi, avili! »

Tout l'après-midi, elle resta dans sa chambre, étendue sur le lit à attendre le soir. Elle regardait, à travers les vitres, cette immense vallée gonflée de soleil, avec l'envie folle de marcher sur ces sommets déserts. Elle imaginait les sentiers battus par la tempête envahis de lumière et le hurlement du vent dans le silence. Elle voyait les toits des maisons qui s'alignaient comme une espèce d'amphithéâtre gris, les touffes d'herbe tremblantes, et imaginait ceux qui vivaient sous ces toits, les femmes et les hommes assis près du feu, la chambre avec les images sacrées, le lit imposant, la forte odeur de la braise, des aliments. Que faisaient ces gens? Ensevelis là-dedans, ils naissaient et mouraient, toujours enfermés dans leurs murs, toujours entourés de ces montagnes qui matérialisaient les limites du monde.

Du balcon, on apercevait aussi l'énorme masse blanche et grise de la cathédrale, cet enchevêtrement de colonnes qui jaillissait entre les maisons, le clocher avec ses balustrades usées, les statues de pierre au sommet. Elle vit l'édifice changer de couleurs au coucher du soleil, toute une façade devint jaune et l'autre intensément sombre, les pierres s'illuminèrent soudain d'un rose phosphorescent, et cette montagne immobile finit par se fondre dans l'obscurité. Elle imagina les nefs désertes et glacées, les cadavres grotesques en décomposition dans leurs tombes de verre, les deux moines lugubres, leurs têtes recouvertes de bandelettes, le guerrier au heaume et à la figure plus petite qu'un poing, la femme enveloppée d'un linge blanc... Elle se les représenta sortant tous de leurs tombes pourries, et s'asseyant silencieusement, eux aussi, autour d'un brasier brûlant au centre de la sombre nef.

A mesure que le soir devenait plus profond, Elena se sentit assaillie par une anxiété fébrile, la peur intense que Michele ne puisse pas venir, qu'il ne voulut plus venir. Elle se déshabilla, se lava, se coiffa, ouvrit grande la fenêtre pour que l'air froid libère la pièce de sa fumée, couvrit la lampe de la table avec une chemise pour adoucir la lumière, enfila sa robe de chambre et se coucha. Elle tremblait vraiment de désir et de peur. Avant d'entendre le pas de Michele, elle détecta mystérieusement sa présence derrière la porte et courut pieds nus vers l'entrée; au même moment, elle entendit chuchoter son nom.

Lui aussi semblait envahi du même désir; ils ne s'étreignirent qu'un instant. Debout, leurs corps qui se pressaient furieusement l'un contre l'autre; puis ils se traînèrent en luttant jusqu'au lit.

Ils se cherchaient partout avec les mains, la bouche, le sexe. Elena l'aida à se déshabiller, un peu maladroitement dans l'ombre, jusqu'à ce qu'elle le sentit nu et lourd, la recouvrir et l'envelopper tout entière : le corps chaud, le torse, les lèvres, les cheveux, les jambes, et ce membre qui la pénétrait lentement. Elle eut enfin un petit cri de libération : tout son être se concentra dans cette sensation : comprendre ce qui se passait à chaque fraction de seconde. Un minuscule cercle jaune s'élargissait dans le noir, derrière ses paupières closes, il s'élargissait, s'élargissait...

Michele resta jusqu'à trois heures du matin. Ils se parlèrent quelques minutes dans cette espèce de douce torpeur qui précède le sommeil. C'est elle qui prépara le café, alluma une petite radio qui envoya une musique presque imperceptible, tendit une cigarette allumée à Michele et se coucha sur lui en tirant la couverture par-dessus. Enveloppée dans cette couverture, ils se sentaient totalement isolés du monde, la seule présence étrangère était la faible musique de la radio. Elena emprisonna doucement ses jambes entre les siennes, s'appuya encore pour adhérer complètement à lui, quand le sexe mâle vibra un court instant; mais l'épuisement l'emporta.

– Pourquoi restes-tu dans ce pays?

– Parce que c'est le mien, j'y ai ma maison, mon travail d'instituteur, il y a ma mère... Pourquoi ne devrais-je pas y vivre?

– Comment est ta mère?

– Grande avec des cheveux gris, un peu malade, toujours triste... Elle nettoie la maison, la cuisine, le soir elle s'asseoit devant le brasero et prie pendant deux heures...

– Lui as-tu dit que tu ne rentrerais pas de la nuit?

– Moi je ne lui dis jamais où je vais. Elle pense que je suis allé en voiture à Palerme, ou bien que je suis en train de jouer aux cartes, quelque part.

– Ou avec une femme...

– Ou avec une femme. Naturellement!

Ils bavardaient ainsi, sous la couverture, en mêlant leur respiration. Par moments, ils s'assoupissaient.

– Tu es fatigué?

– Je voudrais dormir...

– Ce n'est pas possible! Demain, on te verrait sortir.

– Je suis fatigué, fatigué...

– Dors un peu. On a encore quelques minutes; je te réveillerai doucement... J'aime dormir ainsi, j'aime dormir dans un train, avec le bruit des roues, les ombres des inconnus qui passent tout près. Pendant ce temps le train file dans la nuit et je n'ai rien d'autre à faire qu'attendre.

– En ce moment, c'est pareil?

– En ce moment, c'est pareil.

Une voix étrangère rapide et gaie parvint de la radio, suivie d'un air très doux de mazurka.

– Écoute! c'est beau!

– On danse?
– Le sol est froid...
– Dansons, dansons!
Ils dansèrent nus dans le noir, cherchant à réunir leurs corps. Soudain Elena sentit ce sexe masculin grandir, violent, adhérer à son ventre; ils se laissèrent alors tomber sur le lit, haletants, riant, tentant fébrilement de s'enlacer avant que l'ultime désir ne s'éteigne.

Lorsque Michele sortit prudemment, Elena ne bougea pas du lit, essayant de se détendre dans la position la plus simple, jambes et bras largement ouverts. Elle n'avait même pas la force d'allonger la main pour allumer une cigarette, mais se sentait trop joyeuse pour vouloir dormir. Une odeur d'herbes sauvages montait de la campagne tranquille.

Brusquement, dans cette nuit muette, s'éleva de la place un son de mandolines, hésitant comme si les musiciens accordaient leur instrument. Quand le chant commença, tout ce qui existait de la nuit devint plus aérien et léger. C'était sûrement les coiffeurs pour hommes qui avaient leur salon près de la cathédrale. Était-ce peut-être la suggestion de la nuit, ou son propre état de bonheur, mais l'espace d'un instant, Elena eut vraiment la sensation magique qu'à la place de la sombre vallée il y avait la mer et que les lointaines lumières du pays tremblaient sur l'eau. Prise par l'irrésistible désir de marcher un peu dans les rues désertes, elle mit son manteau, enroula son écharpe autour du cou et sortit.

Il n'y avait absolument personne dehors, sauf à l'angle de la grand-rue, où les vitres du cercle, encore illuminées, laissaient transparaître les ombres des joueurs de cartes. Même la place semblait complètement déserte, mais devant l'entrée du salon de coiffure il y avait un mince filet de lumière et, assis l'un à côté de l'autre, Elena vit les trois barbiers qui jouaient. Elle s'approcha lentement dans l'ombre des colonnes et, arrivée à quelques mètres d'eux, s'assit sur les escaliers pour les regarder plus attentivement.

Elle ne les avait jamais vus. Le premier était un vieux de petite stature avec une étrange tête oblongue et chauve : recroquevillé sur sa chaise, il jouait, l'oreille presque appuyée sur le bois de l'instrument. Le second était au contraire un adolescent très grand et maigre, une masse de cheveux et une petite figure maigrelette posées sur un cou de girafe. Assis à califourchon, il tenait sa mandoline sur l'aine. Le troisième enfin pouvait avoir trente ans, petit, mince, un visage délicat, des cheveux très longs et de fines moustaches : assis gracieusement avec sa mandoline sur les genoux, il écoutait la musique de ses compagnons et en suivait le tempo avec un tremblement de la tête. Il poussait, de temps en temps, un cri aigu en contrechant, comme une petite voix soliste, mais y renonçait tout de suite et restait bouche bée, en attente.

Cette mélodie, la nuit immobile, les ombres derrière les vitraux verts du cercle : tout était parfait. Elena alluma une cigarette, enfonça les mains dans ses poches et s'allongea, le dos contre la colonne, en croisant ses jambes l'une sur l'autre. Elle pensa : « Si ma mère me voyait! Une femme seule, la nuit, dans ce pays de sauvages! »

Elle éprouvait une sensation de béatitude. Quelque chose frôla ses épaules, mais il n'y avait personne. Elle s'étendit un peu plus et ferma les yeux.

« Ça doit être les assassins! Mais s'ils me tuent maintenant, alors ce sont vraiment des lâches! »

Cette même nuit, pendant qu'il errait autour de la cathédrale, Agostino Profumo fut roué de coups par des inconnus. Ils le saisirent par les épaules, lui arrachèrent ses lunettes, et un poing lourd comme une pierre s'abattit sur sa nuque et le terrassa. On le força à se relever, il ne voyait que les ombres confuses de ces hommes, ne réussissant même pas à comprendre s'ils étaient deux ou trois; un autre coup lui arriva sur la bouche et le fit chanceler. Il chercha désespérément une direction pour fuir, deux autres coups explosèrent dans son oreille et sur ses reins, le forçant à tomber sur les genoux. Il resta un long moment, dans cette position, essoufflé, essaya de se relever en se protégeant la nuque avec les mains, mais retomba sous une nouvelle avalanche de coups sur la tête, le nez et le dos.

Le plus étrange fut qu'Agostino n'appela pas à l'aide. Ils le remirent debout en le tirant par les cheveux et s'amusèrent à le voir tituber au milieu de la rue, à demi hébété, pour recommencer à le gifler violemment : un revers de main sur une joue, un second sur l'autre, un troisième... Ils restaient là dans l'ombre des murs, à regarder Agostino avec son imperméable blanc sali de poussière et de sang, les cheveux en désordre. Il retenait sa respiration, guettait l'obscurité, se croyait seul, et libre, mais à peine avait-il fait un pas qu'il recevait une gifle, deux, trois. Agostino restait muet, à part une espèce de petite plainte craintive, et il passait de temps en temps le dos de sa main sur sa bouche et ses yeux pour en essuyer le sang.

Il n'avait même pas réalisé qu'ils étaient vraiment partis et resta plus de cinq minutes, immobile, dans la rue déserte; par moments il vacillait comme s'il allait s'évanouir et enfonçait sa tête dans ses épaules pour parer à d'invisibles coups. Lentement, il s'abaissa et se mit à marcher à quatre pattes, cherchant avec le plat de la main à retrouver ses lunettes. Il finit par découvrir une monture brisée, sans verres, qu'il mit dans sa poche; avec le mouchoir, il s'essuya le sang du nez, des lèvres, se colla au mur et commença à marcher lentement, à tâtons. Guidé par l'éclairage des lumières, il arriva sur la place, avança prudemment jusqu'aux escaliers, fit encore quelques pas, mais tout à coup les forces lui manquèrent et il se laissa tomber sur un banc de fer. Il pleura en silence, les douleurs à la poitrine et aux épaules étaient si atroces qu'il n'arrivait même pas à respirer. Il entendit des pas sur la place et eut un mouvement de fuite instinctif, mais ses jambes ne le soutenaient plus. D'ailleurs, où pouvait-il bien fuir? Les pas se rapprochèrent, devinrent plus lents et s'arrêtèrent : Agostino entrevoyait la silhouette d'un homme à quatre ou cinq mètres de lui mais il resta assis, le mouchoir rouge de sang entre les mains, à attendre que quelque chose se passe. L'homme ne bougea toujours pas puis s'en alla : après avoir fait quelques pas hésitants, il s'était mis à courir et disparut.

Agostino laissa passer quelques minutes, se leva avec difficulté et rejoignit le mur; il fit péniblement le tour de la place, s'engagea dans la grand-rue et compta les portes : la première était celle du café, ensuite venait celle du magasin de tissus, le tabac, le cercle des bourgeois, enfin un portillon et trois escaliers. Il appuya longtemps sur la sonnette et attendit, terré dans l'ombre, que de l'intérieur une voix féminine lui réponde.

– Je suis Agostino Profumo, le journaliste. C'est urgent...

Silence. Il attendit quelques minutes puis recommença à appuyer sur la sonnette et entendit encore cette voix lui demandant qui il était et ce qu'il voulait.

– Je suis Agostino Profumo, le journaliste...

Un volet du balcon s'ouvrit quelques secondes puis se referma. Agostino s'assit sur la marche et entendit enfin le bruit du verrou; la porte s'ouvrit très lentement pour le faire passer, et le docteur Sanguedolce le guida sans un mot vers une petite pièce éclairée.

– Asseyez-vous, Agostino, doucement, appuyez-vous...

Sans vraiment le voir, Agostino imaginait l'homme qui se tenait devant lui. La veste d'intérieur, les cheveux gris décoiffés par le sommeil, les yeux bleus compatissants. Il l'aida calmement à enlever son imperméable et, la bouche entrouverte, il le regarda avec des yeux qui roulaient dans leur orbite.

– Mais que diable vous a-t-on fait, qui était-ce?

– Je suis tombé de bicyclette...

– Cette nuit...

– Cette nuit... maintenant...

Il émit une plainte douloureuse et se replia sur sa chaise.

– Restez tranquille à présent, du calme, n'ayez pas peur.

Le médecin lui nettoya le visage avec un coton imbibé d'alcool, toutes les blessures au nez, aux lèvres, sur les paupières. Agostino serrait les dents en s'accrochant à la chaise.

– Ce sont des coups de poing, Agostino, ils auraient pu vous tuer...

– Je suis tombé de bicyclette.

L'atroce brûlure de l'alcool et de la teinture d'iode lui donnait l'impression que son visage s'était gonflé d'un seul coup et qu'il allait éclater. A vingt centimètres, il entrevoyait la figure de Sanguedolce, ses mains, réussissant même à distinguer ses yeux bleus.

Il essaya de sourire.

– Je me suis fait vraiment mal... Docteur, j'aurais besoin d'un peigne... J'ai aussi perdu mon béret, mes lunettes...

Le médecin lui lava encore le sang collé sur les cheveux et les oreilles.

– Qui était-ce?

– Je suis tombé de bicyclette. Vraiment, vous ne me croyez pas?

– Je crois surtout qu'une autre fois *ils* vous tueront! Vous voulez savoir trop de choses.

– Quelles choses, docteur?

– Hier, par exemple, vous avez ennuyé cette institutrice en pleine place, devant tout le monde...

– Je voulais seulement parler avec elle. Quel mal y a-t-il?

Pour se faire coudre des points aux lèvres et au sourcil, il dut s'étendre sur une sorte de petit lit métallique fait pour les urgences, et rester un quart d'heure sans bouger, les yeux fermés. Progressivement, une douleur lancinante lui vint à la tête, un froid dans tous les os. Il tremblait. Le docteur Sanguedolce l'aida doucement à se relever et à mettre son imperméable, puis son écharpe.

– Voulez-vous être accompagné chez vous?

– Non, non...

– Vous devez garder le lit pendant au moins deux jours. Peut-être aurez-vous aussi de la fièvre, mais n'ayez pas peur.

Il le regardait doucement, en silence.

– Alors vous êtes tombé de bicyclette?

– Parfaitement, je suis tombé...

– Doit-on en informer les carabiniers?

– Pour quoi faire?

Le lendemain il ne se passa rien et pour Elena ce fut une journée de bonheur presque parfait. Elle vivait dans l'attente du soir quand déjà, au crépuscule, le besoin de Michele devint plus fébrile et insupportable.

Cette nuit-là fut une espèce de lutte amoureuse. Elle devint vraiment brutale parce que tous deux, épuisés, ne parvenaient pas à atteindre le plaisir. Elena tenait Michele prisonnier entre ses jambes, le cherchait avec tout son corps, l'invoquait, lui plantait aussi ses ongles dans la chair et Michele l'écrasait en s'essoufflant, continuait à s'élever et s'enfoncer en elle, sans trêve, sans un mot.

Après le départ de Michele, Elena se reposa quelques minutes sur le lit, les yeux fermés. Puis, lentement, paresseusement, elle fit tourner ses jambes et s'assit. Elle se sentait très faible. « Dieu que je suis fatiguée... et comme cet homme est lourd! » pensa-t-elle. Elle se recoucha, fit quelques mouvements pour mieux se détendre, s'étira dans les draps. Le fait d'être épuisée l'emplissait de satisfaction.

Elle s'assit à nouveau et enfin se leva. Elle se regarda nue dans le miroir, cette masse de cheveux noirs défaits sur les épaules. Avec ses ongles, elle peigna légèrement le triangle noir de poils, se caressa lentement les seins, leva les bras et plaça ses mains derrière la nuque. Elle aimait se regarder ainsi, c'était très excitant, tout ce corps blanc et mince avec cette fontaine de cheveux noirs, les taches sombres du bas-ventre et des aisselles. Elle fit un petit signe approbateur à son reflet dans la glace.

– Je suis encore belle! Quelle chevelure... quelle peau nacrée... Mes seins sont trop petits, ils ressemblent à ceux de ma mère, ces deux miniatures en forme de poire avec quatre terribles poils sur les bouts... qui sont, eux, un héritage de mon père... il avait des poils qui jaillissaient de partout, même des oreilles... les épaules aussi sont celles de mon père, une plus haute que l'autre... Oui, mais quelle allure...

Il lui vint une pensée plus drôle qu'obscène : « J'aurais parfaitement su faire la putain... je crois que chaque femme en serait capable. »

Elle se lava à l'eau froide en frissonnant, puis se blottit sur le lit défait et commença à se peigner lentement. Elle essayait de penser à ce qui se passait autour d'elle, mais elle était trop fatiguée et trop heureuse, les seules images qui occupaient son esprit étaient celles, fantastiques, de sa lutte amoureuse avec Michele. Ainsi, en se coiffant, elle sentit le sommeil la gagner et elle se laissa tomber à la renverse, les jambes ouvertes. A peine le temps de tirer la couverture sur ses épaules, et elle bascula dans le sommeil.

2

Le lendemain, Elena alla déjeuner chez l'avocat Bellocampo. Au plus profond d'elle-même, elle ressentait encore la sauvagerie de Michele pendant leur dernière nuit d'amour. Elle était heureuse en même temps qu'inquiète et agressive, avec une sensation frénétique : une infinité de choses incroyables bougeait tout autour d'elle.

En si peu de temps, elle avait même oublié la physionomie de l'avocat Bellocampo, mais quand elle se retrouva dans sa maison, et qu'il vint à sa rencontre, petit et chenu, elle éprouva l'absurde impression qu'elle eut la première fois, comme si le personnage se détachait de toutes les choses et de tous les êtres vivants de ce pays.

Tout au long du repas, elle l'observa dans ses moindres détails. Chaque particularité de cet homme lui apparaissait aussi parfaite que si elle avait été peinte : le costume sans un faux pli, la chemise immaculée, les boutons de manchette en or et la chaînette d'or sur le gilet, les cheveux entièrement blancs. Jusqu'à l'image de la vieillesse telle qu'il la représentait semblait parfaite. Au moment de se mettre à table, le vieux Bellocampo avait dit :

– Je ne vous offrirai que des mets très simples, mais qui appartiennent à la tradition culinaire de ce pays.

Vous n'aurez jamais l'opportunité d'en manger ailleurs.

La petite table avait été dressée au centre de la bibliothèque, sous le lustre. Les plats étaient servis par une vieille femme pâle et silencieuse, Nina, aidée du petit valet chauve qui, à l'occasion, portait une étrange veste bleu ciel boutonnée jusqu'au cou. Ni l'un ni l'autre ne parlèrent : ils attendaient dans un coin du salon et ne se cotoyaient qu'au moment de changer les plats ou verser le vin.

L'avocat Bellocampo lui posa une infinité de questions : si elle avait visité les ruines du château normand et la cathédrale, qu'est-ce qu'elle enseignait à ses élèves, si elle avait des frères; il voulut son opinion sur la Sicile et sur le destin des Siciliens; il lui demanda aussi si le désespoir des personnages de Verga était plus vrai que chez ceux de Lampedusa. Il écoutait les réponses d'Elena en approuvant avec de légers et souriants hochements de tête, comme si tout ce qu'il entendait était agréable et à son goût; de temps en temps il poussait un petit soupir triste et fatigué, mais effaçait immédiatement cette impression avec un sourire et posait une autre question.

Ils mangèrent d'énormes olives noires, un fromage salé et des tomates macérées dans l'huile avec du basilic, puis des raviolis à l'essence de cannelle, une saucisse extrêmement mince et sèche roulée dans une poudre de piment rouge qui brûlait littéralement le palais. Le vin était noir et âpre : silencieusement, Nina le versait d'une carafe de cristal au bec très fin. Devant chaque plat l'avocat Bellocampo décrivit le parfait équilibre des arômes et expliqua que pour accompagner ce mets, l'unique vin possible était justement celui des Madonie, violent et amer, parce qu'il séparait parfaitement les parfums en les livrant un à un au palais.

Elena l'écoutait et se disait : « Est-il possible qu'il ne sache rien de ce qui est arrivé? Un homme a été assassiné sur la place, à cinquante mètres de chez lui... On m'a convoquée trois fois pour ça... Il fait l'imbécile, ou bien il est raffiné au point de n'y faire aucune allusion par crainte de m'offenser? »

Elle le défia d'un sourire :

– Beaucoup de délits ont lieu dans ce pays! Je veux dire homicides...

Il y eut une pause de silence. Ils se regardaient en souriant pendant qu'Elena pensait : « Maintenant tu es forcé d'évoquer l'assassinat... il n'y a rien à faire... je ne dirai plus un mot. C'est à toi de parler! »

Mais Bellocampo ajouta simplement :

– Quelquefois, quelqu'un...

Ils continuèrent à se regarder, le sourire du vieil avocat s'alanguit doucement, s'éteignit, s'enchanta, comme s'il voulait dire quelque chose sans pouvoir en trouver les mots.

– Vous êtes très belle, Elena! J'aimerais avoir trente ans de moins...

– Vous êtes en train de me faire la cour...

– Comment pourrais-je... je suis si vieux, ne le voyez-vous pas? Sans espoir! Je voudrais avoir trente ans de moins, et alors oui...

– Alors?

– Je lutterais. Oh! comme je lutterais!... de toutes les manières, jusqu'au bout, pour me faire aimer de vous!

Elena fit un petit mouvement de tête frivole mais le vieux continua à la regarder avec un air émerveillé.

– Voilà Elena... dans vos yeux il y a de la douceur et de la violence... c'est ainsi que doivent être les yeux d'une femme!

Elena répéta ce petit geste superficiel en pensant : « Et toi tu es un remarquable fils de pute! »

Ils se levèrent presque ensemble et passèrent dans le bureau où Nina avait déjà servi le café près des deux grands fauteuils. Ils burent le café et allumèrent des cigarettes : le vieux voulut lui montrer quelques précieuses éditions des premières chansons en dialecte, sur les paladins de France, mais la pensée d'Elena était toujours la même : « Est-il possible que cet homme ne sache rien de tout ce qui est arrivé ? »

Elle essaya encore de le défier.

– Pourquoi tenez-vous toujours les persiennes fermées ?

Bellocampo remit délicatement les livres à leur place.

– Parce que c'est un petit pays qui a souvent vécu un passé noble et sauvage, mais les choses qui s'y passent maintenant, les hommes qui le peuplent, le rendent inerte et triste... Je garde les persiennes closes pour me donner l'illusion que dehors la vie est différente, telle que je la voudrais.

– Et vous ne voyez jamais ce qui s'y passe vraiment...

– Assez pour en goûter la représentation que les hommes donnent d'eux-mêmes... Je m'asseois derrière le balcon et je regarde la scène.

Il avait lentement tiré la tenture. A travers les fentes des volets on apercevait toute la place, du bout de la grand-rue jusqu'à l'escalier de la cathédrale, mais en réalité Elena eut l'impression qu'un rideau s'était levé, et que les personnages étaient disposés sur la place comme sur une scène : quelques vieux paysans sur les marches de l'église, d'autres le long des sièges sous les lauriers, le chanoine Leone méditant au seuil de la cathédrale, le caporal-chef Ferraù et l'adjudant debout au milieu de la place, le journaliste Agostino qui s'éloignait en boitant. Assis en rang sur le trottoir du cercle des bourgeois, le docteur Sanguedolce, le maire Liolà et le juge Occhipinti. Le docteur Sanguedolce s'abandonnait au soleil, dans son petit fauteuil, un journal ouvert sur les genoux et le regard dans le vide. Le maire donnait l'impression de surveiller tout ce qui se passait en tournant continuellement les yeux de chaque côté, et le petit juge semblait seulement occupé à fumer avec acharnement. Enfin, au centre de la place, il y avait justement le maître Belcore qui se promenait solitaire, les mains derrière le dos, plongé dans on ne sait quelles réflexions.

L'avocat Bellocampo parut deviner la pensée d'Elena et sourit.

– Je m'assois derrière le balcon et je regarde les gens sur la place. Je connais chacun d'eux, je les regarde depuis des années et je sais exactement chaque détail... Je n'ai désormais rien d'autre à faire qu'observer et penser... Je suis assis là : je les regarde et je pense. Une espèce de jeu : j'essaie de deviner précisément les gestes de chaque personnage, quelquefois même les idées qui les préoccupent... Un vrai théâtre... Vous voyez cet homme?

Il glissa un doigt entre les persiennes et indiqua, tout au fond de la place, l'adjoint au maire Emanuele Crucillà, petit et joufflu, qui avançait en trottinant.

– Regardez-le bien... A présent il va lever les yeux vers le troisième balcon de l'immeuble au-dessus du café et faire un petit signe de tête. Après quoi il s'arrêtera pour allumer une cigarette. Puis il répétera ce signal. Derrière les volets de ce balcon, il y a en ce moment Rosalia Guglielmino, épouse de l'ingénieur de la commune, depuis sept ans la maîtresse de Crucillà. Connaissez-vous madame Guglielmino?

– Jamais vue!

– Une femme excitante, trente-quatre, trente-cinq ans, brune, petite, une poitrine imposante, les cheveux tirés sur la nuque, des boucles d'oreilles de gitane... de quoi impressionner un homme... mais elle est complètement stupide. Il y a trois ans de cela, ils fuguèrent ensemble à Palerme. Lui est un petit avocat rusé et vaniteux qui réussit à vivre en embrouillant les autres. Les ignorants confondent toujours arrogance et intelligence. Une fois sorti du pays, il devient grotesque et ridicule. Elle, je le répète, est une imbécile; séparée de sa famille, elle deviendrait une prostituée à deux sous... Au deuxième soir de la fugue ils eurent tous deux la frousse et rebroussèrent aussitôt chemin. Vous parlez d'une aventure!

– Et son mari?

– Il la reprit... Le pauvre, il est courtois et serviable...

Qu'aurait-il dû faire? Lui tirer une décharge de fusil dans la tête? Ou bien feindre de croire que Rosalia s'était vraiment rendue chez sa sœur à Bagheria... il choisit de feindre.

Elena l'écoutait, bouche bée, tandis qu'elle pensait : « En peu de mots il a détruit trois êtres humains : l'amant, un épouvantail, elle, une pauvre demeurée, et le mari, un lâche. »

A cet instant Bellocampo eut un sourire mystérieux.

– Mais il y a une autre histoire, plus terrible et plus amusante.

– Une autre?

– L'histoire du docteur Ermanno Sanguedolce...

Elena le regarda, incrédule.

– Un homme si tranquille, si serein... comment est-ce possible?!

– Il est vrai qu'en la racontant, personne ne pourrait y croire! Il avait trente ans quand il épousa une jeune fille d'une exceptionnelle finesse de traits appartenant à la famille Capodieci, une des plus riches de Bagheria. Elle s'appelait Elisabetta, avait vingt-deux ans et était brune, grande, avec une chevelure très noire et des yeux de feu; elle avait rendu fous des dizaines d'hommes, la moitié de Palerme était à ses pieds... Leurs noces mémorables furent célébrées au dôme de Monreale, même les chevaliers de Malte étaient présents. Ermanno Sanguedolce était, lui aussi, un monument de beauté virile... Vous auriez dû le voir il y a vingt ans, grand, de merveilleux yeux bleus, les cheveux blonds... il était, entre autres, un prodige d'intelligence et d'assiduité dans ses études : diplômé avec mention et assistant à la chaire de chirurgie... Essayez de vous représenter cet homme, riche, très beau, avec une femme qu'on ne pouvait imaginer nue sans mourir de désir.

Il demanda pardon pour la phrase avec un imperceptible signe de tête.

– Deux années passèrent et Elisabetta Capodieci abandonna son mari Ermanno Sanguedolce. Ce fut un énorme scandale dans la société palermitaine. On en parla pendant six mois. Plus les deux familles cherchaient désespérément à étouffer le scandale, plus il grandissait... On dit qu'Elisabetta s'était éprise d'un officier américain... On raconta aussi que ce fut Sanguedolce qui tomba éperdument amoureux d'une chanteuse lyrique... Pendant six mois, tout ce qui pouvait être imaginé fut pensé dans des centaines de salons avec des millions de mots. On disait encore qu'Elisabetta était devenue folle. Beaucoup juraient avoir vu cette splendide femme brune errer, cheveux au vent, sur la terrasse d'une villa aux pieds du mont Pellegrino, où ses parents la tenaient recluse... d'autres encore, que Sanguedolce souffrait d'un mal mystérieux et qu'il agonisait dans une clinique suisse... Rien de tout cela, en vérité, mais quelque chose de plus horrible!

Il eut un mouvement courtois, dans la direction du divan.

– Voulez-vous une liqueur?

Au refus silencieux d'Elena, il sortit lentement un étui de sa poche intérieure, ajusta avec précision une cigarette dans le fume-cigarette en la palpant délicatement pour attendrir le tabac. Il coinça le fume-cigarette entre ses dents et chercha calmement le briquet dans ses poches. Entre-temps, il pointait le menton du côté de la place.

– Regardez! C'est encore un bel homme, grand, distingué, avec ce regard doux... Il semble si serein! Il sait pourtant que tous connaissent sa véritable histoire.

Il alluma finalement sa cigarette. Elena pensait: « Vieux fils de putain! Quel art pour raconter les choses! »

L'avocat Bellocampo laissa filtrer un nuage de fumée bleue. Plus que fumer, il savourait surtout le goût de la fumée. Il poursuivit:

– Ils semblaient deux êtres parfaits, en mesure de pouvoir se garantir un bonheur mutuel... et pourtant, juste au moment où ils étaient si parfaits, si heureux, arriva... Un jour Elisabetta entra dans une maison de campagne, près de la villa de Monreale, et là, elle vit son mari... Comment peut-on le raconter? Il était nu, allongé sur le sol, râlant sous un autre homme nu, jeune... un adolescent...

Elena ne put retenir un petit cri de dégoût. Elle resta deux secondes la bouche ouverte, puis éclata d'un rire convulsif. Elle ne parvenait pas à se contrôler. Frappant dans ses mains, elle appuya le front contre les persiennes, regardant le docteur Sanguedolce, là-bas, au fond de la place; et plus elle voyait cet homme, gras, bienveillant, blond, doux, assis devant la porte du cercle, qui s'éventait légèrement avec son journal, plus elle riait... Enfin, elle lâcha presque une plainte en regardant l'avocat Bellocampo.

– Oh! mon Dieu...!

Le vieux était resté incroyablement sérieux, à peine une ombre de sourire autour des yeux. Il avait l'air d'étudier minutieusement sa gaieté et fit, avec la tête, un imperceptible signe de reproche.

– Vous riez, ce fut pourtant une grande tragédie...

– Oui, oui, sans doute... Je vous prie de m'excuser mais c'est plus fort que moi. Ces deux grandes familles qui s'unissent à travers deux êtres parfaits... Elle, sombre et splendide, la fin du monde... Lui, grand, blond, un ancien conquérant normand, et puis, au contraire...

– Depuis cette révélation, deux ans passèrent. Tout le monde pensait qu'Ermanno Sanguedolce, écrasé de honte, avait émigré ou s'était tiré une balle dans la tête, ou bien qu'il s'était enfermé dans un couvent... Et pourtant, il réapparut un jour au pays. Il avait grossi, portait des lunettes de myope, était devenu un homme lourd et triste qui souriait constamment et saluait toujours le premier... A présent il vit avec une vieille parente dans cette maison de la grand-rue, il possède une ambulance... il paraît qu'il n'existe pas un médecin plus patient que lui, en fait beaucoup de gens viennent même des pays voisins pour se faire soigner.

– Celui-là, qui est-ce?

Elena prit Bellocampo par la main et le conduisit de l'autre côté de la fenêtre.

– Là-bas, regardez... celui qui ressemble à Mazzini...

– Celui qui ressemble à Mazzini?

Bellocampo rit lui aussi en voyant enfin le personnage : un petit homme aux cheveux gris flottant sur ses épaules et le pince-nez. Il traversait la place à petits pas rapides, le torse bombé, puis s'arrêta net, les mains derrière le dos, jeta un regard méprisant autour de lui et poursuivit son chemin. Sans le perdre de vue, Bellocampo imita sa façon grotesque de marcher.

– Carlo Rolando Annibale Spadafora, dit « Savutavanchi », qui signifie saltimbanque, le clown de cirque. Avocat, professeur de français, marxiste, douze ans de prison, battu, deux fois blessé en duel, chassé à coups de fusil, candidat au Parlement avec seulement neuf voix à son avantage...

– Le pauvre...

– Pourquoi pauvre? Au fond, lui aussi joue son rôle, il se promène depuis cinquante ans habillé en révolutionnaire, prêche, crée des comités, profère des insultes et reçoit des coups de bâton. En définitive, je pense qu'il s'amuse. Même les autres...

– Comment les autres?

– Les autres, je veux dire les spectateurs! Dans les premiers mois de l'après-guerre il parvint à organiser l'occupation des terres; se mêlant à des groupes d'ouvriers agricoles munis de drapeaux, il voulut procéder sur-le-champ à la distribution des propriétés; une heure plus tard, se déchaînait une gigantesque bagarre à coups de serpe... Carlo Rolando s'en tira avec une fracture du crâne, fut condamné à trois ans de prison et perdit son poste d'enseignant au lycée de Bagheria. Depuis, il est devenu un peu fou. Il voudrait délivrer l'humanité mais il est en même temps convaincu que l'humanité le persécute. Le mois dernier, il se mit au milieu de la place et fit un discours.

– Que disait-il?

– Allez savoir... Il n'y avait personne, il était trois heures du matin et il voulait, dit-on, brûler le pays; l'adjudant des carabiniers se décida à venir et le trouva en larmes assis sous les lauriers... Il passa la nuit à le consoler.

Bellocampo s'interrompit soudain.

– Regardez, regardez!

Il montra quelqu'un sur la place : le journaliste Agostino avait débouché d'une ruelle. Il marchait vite, en claudiquant le long du trottoir et donnait la curieuse impression d'être volontairement bancal, comme s'il voulait préparer ses épaules à être en position de fuite. Il fit un étrange détour, s'arrêta en tournant la tête dans tous les sens, fit volte-face et disparut rapidement. Bellocampo qui avait suivi chaque geste avec attention eut un petit rictus.

– Qui sait ce qu'il a flairé?

– Vous parlez du journaliste?

– Quel homme incroyable! Il est presque analphabète mais réussit à travailler pour le quotidien de Palerme et publie des articles dans une dizaine d'autres journaux.

– Il a l'air d'un pauvre imbécile.

– C'est au contraire l'homme le plus féroce du pays. En tant que tel il est astucieux et vil, c'est dire qu'il possède les deux caractéristiques du chacal. A chaque mort il accourt aussitôt.

Agostino était réapparu et s'arrêta, cette fois, au beau milieu de la place.

– Un être répugnant! Il est presque aveugle mais arrive à tout voir, il paraît bête et pourtant rien ne lui échappe! Il passe ses journées le nez en l'air à renifler l'odeur des gens, il marche sans répit d'un endroit à un autre, parle avec celui-ci et celui-là, observe à la loupe et fouille partout. Il ne dit jamais rien, écoute tout le monde. Il apparaît, traîne, disparaît, réapparaît. Même son aspect est dégoûtant.

– On dirait que vous en avez peur...

– Moi, peur?

Il se tourna vers elle avec un sourire stupéfait.

– Quelle drôle d'idée! Et de qui devrais-je avoir peur? Moi, je suis vieux, désarmé. C'est peut-être justement à cause de ça qu'un homme aussi infatigable m'amuse.

Un autre personnage passait et le vieillard eut une exclamation joyeuse.

– Le voilà, beau et impressionnant...

On reconnaissait le maire Liolà à sa démarche caracolante.

– L'avocat Domenico Liolà, dit « Sparaganasci » qui serait une sous-espèce du rouget, un poisson sans valeur qui change continuellement de direction, il nage en zig-zag...

– Un poisson malin?

– On ne sait pas : il pourrait être simplement un idiot veinard! Celui qu'on appelle, chez nous, un tragédien. Tout ce qu'il fait est toujours exagéré, il s'émeut instantanément, parle à voix haute, rit beaucoup trop...

– Il est avocat?

– Pensez-vous! Être avocat est une chose difficile.

– Alors il est riche?

– Il l'est devenu! En épousant la fille du chevalier Santocono, une femme haute comme trois pommes, qui lui apporta maisons, terres et un palais à Castellamare. Le chevalier Santocono, passez-moi l'expression, était surnommé le chevalier « Vorricamerda », ce qui signifie « ensevelir la merde ». C'était un homme d'une épouvantable avidité et avarice, il enterrait mêmes ses propres excréments pour en faire de l'engrais. Ainsi, pour cette fille unique d'une laideur carrément lugubre – elle avait même des moustaches – il réussit à constituer une dot gigantesque, et l'avocat Liolà l'épousa. Avant, il était libéral et royaliste, puis il est devenu socialiste, enfin il passa à la démocratie chrétienne et fut élu maire.

– Il n'est donc pas si bête...

– On ne sait pas.

Entre-temps, le maire Liolà avait répondu avec d'amples coups de chapeau au salut d'au moins une dizaine de personnes avant de disparaître vers la mairie.

Brusquement, Elena demanda :

– Et le maître Belcore, quel homme est-ce?

Le vieux ne quitta pas son sourire impassible. Il se borna à le regarder se promener solitaire, là-bas sur la place.

– Michele Belcore, dit aussi Michele-philosophie parce qu'il raisonne sur toute chose qu'il tourne et retourne dans tous les sens. Il a constamment l'air triste de celui qui connaît la vérité et souffre que les autres ne la sachent pas.

Entre-temps, Elena pensait : « En deux phrases polies, il a même détruit Michele! » Le vieux continua doucement :

– En réalité il n'est personne. Je crois qu'il n'est personne! On dit qu'il descend de la famille Belcore, nobles desquels naquit aussi le sanctifié Michele Angelo inhumé dans la cathédrale... Mais il n'y a aucune preuve, il descend peut-être de quelque bâtard de la famille. Savez-vous? A l'époque, presque toutes les femmes qui servaient dans la maison passaient dans le lit des nobles : servantes, lavandières, paysannes; c'était même un privilège... Les bâtards naissaient par dizaines. Parfois, sur le point de mourir, et par peur de l'enfer, quelque gentilhomme en légitimait un ou deux, histoire de leur laisser un nom et un bout de terre... Mais ils restaient des paysans, perdus dans les campagnes...

Il la fixa d'un œil bienveillant, comme s'il cherchait à découvrir un signe de colère, mais Elena lui sourit avec autant de douceur.

– Alors c'est sûrement un bâtard!

Néanmoins elle pensait : « Et toi tu es plus bâtard que lui. Tu sais tout ce qui se passe dans ce pays... Cet homme assassiné sur la place... Belcore qui vient chez moi de nuit et qui est en train de démolir le lit de ta sœur Giovanna... Tu sais tout et tu te moques même de moi, vieux sadique impotent! »

Il lui prit gracieusement la main, avec un sourire hésitant, presque pour lui demander la permission de tant d'audace et c'est main dans la main qu'ils regagnèrent le centre de la pièce. Elena fit une petite révérence.

– Bien! Je vous remercie pour tout, aussi pour les étonnantes histoires que vous m'avez racontées. A présent je dois vraiment partir.

Pendant quelques instants, le vieillard lui retint la main dans les siennes et la regarda en silence. Il semblait vouloir dire encore quelque chose mais se limita à lui baiser délicatement les doigts. Il voulut, comme la première fois, l'accompagner jusqu'au palier et, du haut de l'escalier, lui fit un dernier signe gentil et triste de la main.

Il était à peine trois heures de l'après-midi quand Elena arriva chez elle. Pour ne pas céder à la somnolence, elle se mit à écrire une première longue lettre à sa mère. Elle expliqua que Montenero Valdemone était un pays serein au milieu des collines, ses collègues étaient sérieux et aimables et les gens du pays, respectueux. Elle lui décrivit la grand-rue, avec les jeunes filles se promenant, gaies et souriantes, les anciens palais, les églises, la cathédrale, inventant pour cela la fantastique histoire d'un temple grec que les premiers chrétiens avaient transformé en basilique et les dominateurs normands en une majestueuse forteresse surplombant la vallée; l'armée arabe l'avait ensuite conquise après un terrible siège et une bataille désespérée dont on se rappelle encore les épisodes de cruauté et de sainteté. Les corps des soldats martyrs étaient conservés dans des cercueils de verre et vénérés par la population.

« Pauvre vieille Piémontaise, elle croit tout! » Le fait d'avoir pensé dans le dialecte maternel la rendit plus heureuse. Elle lui écrivit aussi que les personnes les plus influentes et respectables du pays la tenaient en grande considération et que les enfants de sa classe étaient propres et bien élevés : « Ils sont tous avides d'apprendre, si tu les voyais m'écouter en écarquillant leurs beaux yeux noirs et intelligents! Accompagnés par leur maman, ils arrivent chaque matin à l'école avec leurs petits tabliers, les rubans bleus impeccables et le goûter bien enveloppé... »

Ce fut justement ce mensonge qui la poussa à une curiosité imprévue : marcher à travers le pays, découvrir ce qu'il y avait au-delà de la place, derrière les façades de ces petits et vieux immeubles bourgeois. C'était un habituel après-midi de soleil et de vent. Elle enfila une vieille veste de marin qu'elle avait achetée au marché populaire de Catania, noua ses cheveux avec un foulard, mit des lunettes noires, et sortit.

La place était quasiment déserte, peu d'hommes près du café, une dizaine de vieux alignés en silence le long de la balustrade de la cathédrale, deux autres assis devant le cercle des bourgeois. Elena s'engagea dans une ruelle qui débouchait subitement sur un escalier abrupt, gravit un second escalier formant deux coudes et, tout à coup, découvrit devant elle une lande incroyable. La pente de la colline devenait une arête de terre grise sur laquelle les maisons s'entassaient pêle-mêle. Elles étaient toutes très basses, ou à un seul étage, de la couleur jaunâtre de la boue, les toits gris, et s'adossaient les unes aux autres comme si un tremblement de terre les avaient rapprochées. Il n'y avait pas de chemin pavé, escalier ou trottoir entre les maisons, mais seulement des espaces vides que la pluie avait creusés comme des boyaux et où stagnait une horrible fange. Une puanteur totale se mêlait aux odeurs des caniveaux, véhiculant les restes de nourriture, l'eau putride, le crottin, la boue, les déchets nauséabonds du village perché plus haut. Partout s'élevaient des tas de ferraille, des ordures et de la poussière.

Les femmes étaient assises sur le seuil des maisons, les unes à côté des autres; une espèce d'assemblée qui parlait, épluchait les salades, cuisinait. Les bébés grouillaient autour d'elles, blottis au soleil; les plus grands jouaient et couraient partout, parmi un nombre invraisemblable de chiens gris et poussiéreux qui se sauvaient.

Au milieu de ces enfants, Elena reconnut tout de suite un de ses élèves, Calafiore, petit, les yeux ronds et sauvages, le vieux pull-over rouge, les cheveux noirs emmêlés.

– Bonjour Calafiore!

L'enfant s'immobilisa sans même avoir le courage de répondre à son salut. Il était moite de sueur, couvert de poussière. Elena lui mit une main sur la tête mais n'osa pas le caresser.

– Allez, montre-moi où tu habites...

Ils descendirent lentement la pente, jusqu'à une ruelle, et les femmes assises devant les portes se turent instantanément.

L'une d'elles dit pourtant :

– C'est vous la maîtresse d'école?

– Oui, c'est moi.

Elles la regardèrent longuement en silence. Un adolescent avec un vieux pull-over, un béret de laine et une écharpe était assis. Ses jambes et ses bras lamentablement maigres pendaient de la chaise comme privés de force. Sa bouche restait ouverte dans un éternel sourire. Deux ou trois mouches bourdonnaient sur sa figure sans apparemment le gêner. Calafiore s'en approcha.

– Lui, c'est mon grand frère, Salvatore. Comme il est idiot, il ne peut pas venir à l'école!

Sur le pas d'une porte, il y avait une minuscule enfant aux magnifiques cheveux bouclés et une sucette plantée dans sa bouche.

– Elle, c'est aussi ma sœur, et encore ces deux-là...

Il montra deux petites filles qui mangeaient, assises sur une marche. Soudain une femme apparut dans l'embrasure. Elle était petite et maigre, le visage sombre, les cheveux gris, les yeux très noirs et ronds, un peu effrayés. Elle tenait dans ses bras un bébé de quelques mois, presque chauve, sale, des miettes de pain collées aux commissures des lèvres. Elena comprit que c'était la mère de Calafiore et sourit.

– Je me promenais, et j'ai rencontré Calafiore. Vous êtes sa mère...

– Oui, madame!

– Je suis l'institutrice Vizzini. La maîtresse d'école de Sebastiano...

La femme la fixait de son étrange regard apeuré, quand derrière elle surgit une vieille avec les mêmes yeux noirs méfiants. Elena lui sourit aussi en caressant les cheveux de son élève.

– Il sera sûrement reçu! Il est très appliqué...

Elle ne savait pas quoi dire.

– Combien d'enfants avez-vous?

– Neuf.

La vieille leva quatre doigts.

– Quatre sont morts de paralysie et de méningite...

– Je regrette!

Le bébé se mit à pleurer; sa mère le balança alors sur son bras tout en regardant Elena. Elle voulut dire quelque chose mais ne parvenait vraisemblablement pas à trouver les mots. Dans ces petits yeux ronds on lisait la peur, la colère, l'espoir. Tout à coup elle parla précipitamment :

– Madame la maîtresse, faites-moi avoir l'assistance!

– L'assistance?

– Une subvention de la commune, mon mari a fait trois demandes, rien, pas une réponse... Ils donnent seulement aux salariés.

Elle parlait avec une rapidité incroyable, une avalanche de mots. Elle semblait parcourue d'un courant électrique; d'un bras elle tenait l'enfant en le secouant sur sa poitrine et de l'autre faisait de grands gestes :

– Par exemple, moi je peux vous en dire dix qui ont une subvention de mille lires par jour, une fait la concierge à l'école, l'autre a même une pension... Que doit faire une mère de famille, alors, pour avoir la subvention? Comme mon mari est analphabète tout le monde en profite, il ne peut même pas travailler ailleurs, parce qu'il lui manque trois doigts de la main... Heureusement que maintenant vous êtes là, madame la maîtresse; s'il vous plaît, prenez mon nom : famille Calafiore habitant le quartier Fiumara, ici tout le monde nous connaît et sait combien nous sommes pauvres; mon mari a eu le typhus pendant cinq mois et entre-temps un autre fils de deux ans est mort de paralysie... Vous devez me dire si c'est juste et pourquoi les pauvres ne peuvent pas avoir de subvention, quand ils la donnent aux concierges et aux gens aisés...

Elle se mit à la tirer par un bras.

– Je vais vous montrer mon mari... comme ça vous jugerez si je mens... malade infirme depuis deux semaines.

Elle la poussait anxieusement : ils avancèrent tous de quelques pas, Elena, la mère, la vieille, toutes les autres femmes, les enfants, et au fond de la pièce obscure Elena vit un homme couché dans un lit. La figure exsangue, un curieux bonnet sur la tête, il regardait à son tour avec deux yeux épouvantés et écoutait bouche bée ce que sa femme disait.

– Cinq enfants vivants, un mari malade, un bébé de quatre mois, que doit faire une femme pour avoir une subvention?

Une insupportable odeur de moisi émanait de cette pièce, Elena recula légèrement.

– Je suis vraiment désolée, j'en parlerai à quelqu'un...

Soudain surgit une grosse femme brune avec deux petites boucles d'oreilles.

– Madame la maîtresse, prenez aussi mon nom, Papalia Rosaria, mère de sept enfants, le nom de mon mari est Papalia Sebastiano, manœuvre émigré en Suisse...

Incroyable! En une seconde cet antre misérable était plein de femmes qui parlaient toutes à la fois, une nuée d'enfants sortis de partout et Elena ne comprit rien à ce qu'elles disaient.

– Un moment, un moment... laissez-moi d'abord parler pour la famille Calafiore...

Elle essaya de se frayer doucement un chemin.

– Je vous promets de revenir... et vous me donnerez aussi les autres noms...

Elle caressa délicatement la tête du bébé qui, au milieu de ces secousses, s'était assoupi sur la poitrine de sa mère. Celle-ci poussa en avant son fils Sebastiano.

– Accompagne madame la maîtresse...

Ils remontèrent lentement la pente, entourés par un groupe d'enfants minuscules qui suivaient en riant et criant. Un chien couvert de poussière fonça droit sur eux et Elena recula apeurée, mais Calafiore lança un caillou à l'animal.

– Ils ne font rien...

Le chien s'était arrêté. Tous les autres enfants commencèrent à lui jeter des pierres et des boîtes de conserve vides qui l'obligèrent à s'échapper en bondissant sur les tas d'immondices, poursuivi par la bande.

Dans le hall de la mairie, Elena trouva deux vieux carabiniers, l'un gras et trapu, l'autre un peu voûté, un grand nez aquilin et des moustaches. Ils n'avaient rien de militaire. Avec les années, leurs humbles habitudes bourgeoises avaient repris le dessus, l'uniforme redevenait un costume comme les autres, seulement un peu plus lustré par l'usure du temps. Les cravates et les chemises étaient de couleurs différentes, des tas de crayons déformaient la pochette du premier tandis que l'autre arborait carrément une écharpe jaune. Elena ne les avait encore jamais vus, toutefois ils se levèrent précipitamment et se mirent au garde-à-vous.

– Je voudrais parler au maire.

– Oui, madame, un instant...

Du fond du sombre couloir, le maire Liolà en personne avançait en boutonnant fiévreusement sa veste et en s'inclinant presque à chaque pas. Il accompagna Elena jusqu'à son bureau où se trouvaient trois autres hommes : un quinquagénaire assez grand à l'aspect farouche, un petit homme à lunettes et un jeune presque chauve, myope, la peau luisante. Tous trois saluèrent, comme si le divin Galatée se trouvait dans le coin, d'une inclination silencieuse de la tête, le cou rentré dans les épaules.

– Permettez, l'avocat Emanuele Tuttobene, adjoint aux travaux publics, le secrétaire communal Carmelo Indelicato et le géomètre Alfredo Bonafé, adjoint à l'assistance publique. Je vous en prie, nous sommes à votre disposition... Voulez-vous un café, une limonade... préférez-vous une liqueur?

Les deux carabiniers s'étaient figés près de la porte en attendant les ordres, finalement tout le monde se décida pour le café et le cognac. La pièce était immense : il y avait un bureau encombré de papiers, de dossiers, d'encriers, de lampes, de stylos-plumes, de tampons-buvards. Aux parois, un drapeau enroulé, un grand crucifix, deux affiches sur le service militaire, un classeur empli d'archives et une vingtaine de chaises alignées le long du mur. Du très haut plafond pendait un fil électrique avec une ampoule. Il y régnait la même odeur que dans un compartiment de train ou une classe d'école déserte. Ne sachant par où commencer, Elena sourit.

– J'ai visité le pays, je n'en connaissais que la place... C'est ainsi que j'ai découvert le quartier Fiumara...

Elle s'interrompit un instant. Le maire la fixait très attentivement en faisant de continuels hochements de tête en signe d'approbation attristée. Les autres étaient au contraire impassibles.

– Je ne savais pas que tant de gens vivaient de façon si misérable... tant d'enfants... J'y ai aussi rencontré un de mes élèves, Calafiore Sebastiano... cinq enfants enfermés dans un taudis, le père malade...

Le maire émit un soupir et approuva, les yeux écarquillés, comme si au même moment il voyait ce spectacle horrible des enfants, du père au fond d'un lit, les taudis dégoûtants, les chiens... Il leva un doigt pour demander :

– Calafiore, avez-vous dit?

– Oui, l'enfant s'appelle Calafiore Sebastiano et fréquente la troisième élémentaire.

Le maire interrogea du regard les deux adjoints et le secrétaire. Le géomètre Bonafé fit une petite grimace méprisante.

– Il doit s'agir de « Minchialenta ».

On entendit enfin la voix du secrétaire :

– Exactement, « Michialenta »! Mais son vrai nom est Calafiore.

Le maire acquiesça en souriant à Elena.

– Les surnoms, vous savez... les pauvres sont surtout connus par leurs surnoms, les familles les traînent derrière eux pendant des générations. Ce doit être lui, je veux dire le père. Il est manœuvre.

– Parfaitement, manœuvre, mais à présent il est malade, je n'ai pas très bien compris s'il souffre du typhus ou de pleurésie, je n'ai pas eu le courage de l'approcher... Sa femme s'est mise à pleurer en racontant qu'ils mouraient de faim. Je ne sais pas ce qui leur revient dans ce cas, une subvention, une aide...

L'avocat Tuttobene écoutait toujours impassible. Pas un muscle ne bougeait sur sa face chevaline, il fumait et c'est tout. Le géomètre Bonafé, lui, afficha une grimace de mépris.

– Chère demoiselle, quelquefois ces gens-là feignent... il faut être prudent...

L'avocat Tuttobene expira une longue bouffée de fumée et ouvrit enfin la bouche :

– Ce Calafiore, si c'est bien celui dont on parle, je lui ai une fois proposé un travail de trois jours aux champs. Je lui donnais deux mille lires pour la journée, mais il en voulait quatre mille parce que les syndicats en avaient décidé ainsi! Mais alors, je vous le demande, il n'a pas besoin de travailler? Et après ils réclament des subventions, avez-vous compris mademoiselle?

Elena sentit naître une haine subite et violente, proche de la nausée. Elle avait vu de ses propres yeux ces gens vivre comme des bêtes, les enfants jouer dans la boue, le crottin, les ruisseaux dégoûtants couler devant les portes, cet homme aux traits de cadavre cloué au fond d'un lit, cette pièce lugubre. Comment pouvait-on feindre une telle misère? Sa voix trembla de colère :

– Mais alors que proposez-vous? Laisser mourir cet homme parce que deux mille lires de salaire lui semblaient trop peu? Laisserons-nous mourir aussi ses enfants? Faisons mieux, enterrons-les sans attendre sous ce tas d'immondices!

Le géomètre Bonafé la regarda, hébété. Le secrétaire Indelicato fit comme s'il n'avait rien compris. L'avocat Tuttobene garda cette expression de bois, impassible. Le maire eut une sorte de glapissement hypocrite.

– Mais non, mais non, mademoiselle, les appréciations personnelles n'ont rien à y voir. Une fois les vérifications accomplies, la famille Calafiore aura sa subvention avant demain soir... avec les soins médicaux et les médicaments gratuits...

L'avocat Tuttobene n'avait pas bougé un cil mais était devenu très pâle. Il décolla lentement la cigarette de ses lèvres.

– Nous voulions seulement vous signifier que notre commune est pauvre et ne peut se permettre la charité.

Le géomètre Bonafé avait au contraire pris une curieuse posture d'humilité, les mains croisées au milieu de ses petites jambes.

– Le fait est que sur cinq mille personnes inscrites sur le registre d'état civil de cette commune, au moins deux mille d'entre elles demandent subvention et assistance. Beaucoup sont des fraudeurs.

Entre-temps le maire avait écrit en grands caractères le nom de Calafiore sur une feuille de papier et fit un geste de satisfaction anxieuse.

– Voilà qui est fait.

Elena se leva et les quatre hommes en firent autant. Le maire reboutonna sa veste, la réajusta soigneusement et inclina déjà sa tête dans l'attente qu'Elena lui offre la main

– Je vous remercie, monsieur le maire... Pardonnez mon intrusion...

– C'est nous qui vous remercions... Nous comptons sur votre collaboration...

Les autres lui serrèrent la main en refaisant cette espèce de courbette ridicule, comme s'ils avaient voulu se rapetisser. Le maire la raccompagna jusqu'au portail et les carabiniers firent le salut militaire.

Un vent glacé balayait la grand-rue et la place, traînant des gouttes de pluie dans l'obscurité. Ce n'était que la première heure du soir mais le pays paraissait complètement désert, les portes et les fenêtres fermées, les vitres des cercles et du bar laissaient seulement paraître un halo jaune et enfumé, quelques hommes enveloppés dans leur cape noire stationnaient dans le coin le plus sombre de la place.

Elena releva son col, serra son caban et ajusta le pas pour traverser la rue. Soudain, de la ruelle d'en face, surgit une grande moto montée par deux hommes, cabrée dans un vrombissement assourdissant, le phare aveuglant pointé sur elle. D'un élan désespéré, Elena sauta vers le trottoir, réussit à l'atteindre mais la moto bondit derrière elle et à cet instant Elena se sentit empoignée par les cheveux et traînée violemment à terre. Tout arriva en quelques secondes : elle ne comprit pas ce qui se passait, mais une douleur atroce lui donnait l'impression qu'on était en train de lui arracher la peau du crâne, ses genoux lui faisaient mal, les pavés martelaient son ventre, ses cuisses... Elle n'eut pas le temps de crier : la main s'ouvrit brutalement et Elena roula sur elle-même.

Elle comprit qu'ils essayaient de la tuer. Alors elle se hissa sur les genoux, la tête emplie du grondement étourdissant de la moto. Le phare aveuglant était de nouveau pointé sur elle, l'homme assis à l'arrière la cueillit par les cheveux. Dans cette fraction de seconde elle eut seulement la vision de cette main qui s'abattait sur elle, et des yeux qui brillaient derrière le passe-montagne jaune. Elle fut ainsi traînée sur plusieurs mètres, s'écorchant les mains pour protéger son visage avant de rouler encore une fois sur les pavés. Pendant quelques longues minutes elle n'eut même pas la force d'ouvrir les yeux.

Elle n'entendait plus le ronflement de la moto, le silence était absolu, la place déserte, même les hommes emmitouflés dans leur cape avaient disparu. Elena réalisa confusément qu'elle se trouvait dans une position presque obscène, la robe entièrement lacérée, les cuisses et le ventre découverts. Elle se retourna péniblement et s'immobilisa face à terre. Elle ressentait une peur tout à fait physique, une espèce de chauve-souris battait des ailes dans sa tête. La terreur d'entendre encore le bruit de la moto, de sentir à nouveau cette main l'empoigner par les cheveux. Dans sa fièvre, elle pensait : « Est-il possible que personne ne vienne m'aider? Comment est-ce possible? Comment peuvent-ils me regarder mourir ainsi? »

Dans un terrible effort, elle se hissa lentement sur ses genoux, respira profondément, et réussit enfin à se tenir debout. Ses jambes étaient couvertes de sang, la douleur des blessures devint insupportable mais elle essaya quand même de faire quelques pas en regardant autour d'elle. Personne. La rue déserte, la place déserte. Derrière les vitres du café on devinait des visages immobiles, d'autres ombres derrière les vitres des cercles. Peut-être que quelqu'un la regardait aussi d'un coin sombre de la place, par l'entrebâillement d'une persienne! Réussissant à peine à respirer elle réajusta cependant sa robe, reboutonna sa veste, sortit un foulard de sa poche et le noua autour de sa tête. Lentement, elle parcourut la place jusqu'au trottoir de la cathédrale et, de là, commença à remonter la ruelle menant chez elle. Elle croyait ne pas avoir la force d'y arriver. Ses dents claquaient de terreur. Elle marchait toujours plus courbée, presque recroquevillée en pensant : « Je fais une erreur! Je devrais aller directement à la caserne demander de l'aide... » Mais elle s'imagina là-bas, étendue sur un brancard, les jambes et les cuisses ensanglantées, le slip souillé de boue et de sang, le médecin aux yeux bleus penché sur elle qui l'aidait à se déshabiller et à nettoyer délicatement ses blessures, la puanteur de cette caserne, la figure gonflée de sommeil du caporal-chef...

Elle se tint quelques instants le front appuyé au bois du portail, quasi agrippée à la clé déjà rentrée dans la serrure : « Non, je ne veux pas... Dans une heure Michele viendra et il m'aidera, lui! Seul Michele est humain ici, les autres ne sont que des bêtes! Une fois arrivée chez moi ils ne pourront plus rien me faire. »

Quand finalement la porte de sa chambre s'ouvrit, elle sentit tout à coup ses forces l'abandonner et se laissa tomber sur une chaise sans pouvoir ôter ses vêtements boueux. Elle resta ainsi, la nuque appuyée sur le mur. Elle tremblait de froid : « Je ne dois pas me laisser aller. Il faut faire du feu dans la cheminée. »

Avec des petits gestes patients, elle rassembla quelques brindilles, en fit deux tas et y mit le feu, puis remplit d'eau le chaudron de cuivre, le suspendit au-dessus des flammes et, très lentement, enleva ses habits. Elle se dévêtit complètement, étendit une couverture sur le sol et, à l'aide d'une éponge, se lava avec soin. Elle avait les genoux, les cuisses et la paume des mains profondément écorchés, les coudes tuméfiés et aussi une petite blessure à la lèvre. Elle respirait avec difficulté, à cause de la douleur à la poitrine et aux épaules. Elle désinfecta patiemment les plaies à l'eau oxygénée puis mit une autre couverture propre sur le sol, le coussin, et s'y étendit nue en se blottissant devant le feu. La lampe était éteinte mais les bûches brûlaient, et la clarté rougeoyante remplissait la pièce. Elle pensait : « Qu'est-ce qui se passe? Qu'ai-je à voir avec ce pays barbare? Que leur ai-je fait? Demain je m'en irai, comment résister? Je vais aller trouver le juge et je les ferai arrêter... Voyous, animaux, lâches... Tout le monde a vu ce qu'ils m'ont fait... Personne n'a ouvert sa porte, mais qu'ont-ils à la place du cœur? Je veux tous les voir en prison, je veux les voir morts... »

Malgré la proximité du feu, le froid la fit à nouveau trembler. Elle tira délicatement un bout de couverture sur elle et se recroquevilla. « Le juge convoquera les témoins qui diront : on ne connaît pas cette femme, on ne l'a jamais vue! Ces visages de pierre... Ces yeux sans expression, on ne peut savoir ce qu'ils pensent, ce qu'ils veulent... Ils voulaient me tuer... Mais pourquoi, pourquoi? Je ne leur ai rien fait... Quel est cet endroit maudit? Les Sarrazins, les Normands, les tremblements de terre, tous les désastres du monde se sont abattus sur ce pays, ils le détruisaient, le brûlaient, et ces hommes de merde le reconstruisaient immédiatement, toujours à la même place... Et c'est ici que j'ai abouti... »

Elle ressentait une haine si violente et si aveugle à ne faire qu'un avec cette horrible douleur qui lui martelait la poitrine. « Race de sauvages, ils vivent dans des tanières au milieu des bêtes, ne savent ni lire ni écrire, ne se lavent pas, respirent la puanteur des excréments, ont des enfants débiles, la seule chose qu'ils désirent c'est une subvention de la commune... Comment Michele peut vivre parmi ces gens? »

Enroulée dans la couverture, elle brûlait de chaleur mais il suffisait qu'elle découvre un bras pour être assaillie de frissons. Elle n'osait pas bouger. Là, tout près du feu, elle se sentait isolée du monde, protégée. Le contact de son propre corps, les jambes pressées contre ses seins, les bras enlacés autour des cuisses, lui procuraient une étrange excitation. Elle avait sûrement une forte fièvre.

« Tout à l'heure il y aura Michele, le seul être humain de ce pays, il lui manque juste le courage de partir. Tout me plaît en lui, je ne pensais pas qu'un homme puisse me plaire autant. J'aime ses yeux myopes pleins de tendresse, son corps lourd, sa langue, la violence avec laquelle il me pénètre, sa façon triste de sourire... Ce soir on ne pourra pas faire l'amour, je ne sens même plus mes jambes... »

L'idée lui parut grotesque. Elle essaya de s'étirer sous la couverture, toucha délicatement ses blessures, effleura le bout de ses seins, s'excita encore. Elle se tourna lentement sur l'autre côté et se recroquevilla à nouveau. « Je crois qu'on réussira quand même à faire l'amour. Tout doucement, avec beaucoup de précaution pour ne pas avoir mal. Lui, saura comment... D'une façon ou d'une autre on y arrivera... »

La fièvre la faisait un peu délirer mais elle éprouvait en même temps un grand bien-être, la douleur avait disparu, une extraordinaire sensation de mollesse l'envahissait, comme si son corps était celui plus vaste et accueillant d'une autre femme dans lequel elle aurait trouvé refuge. Une vague somnolence la surprit.

« J'entendrai le pas de Michele dans la rue... j'entendrai sa voix m'appeler derrière la porte... »

Elle resta dans cet état de semi-conscience près d'une heure, jusqu'au moment où un bruit de pas se fit entendre dans la rue. Elle retint sa respiration : le bruit avait cessé, quelqu'un semblait attendre, mais elle l'entendit s'éloigner, puis disparaître dans la nuit. Un temps indéfini s'écoula, peut-être seulement quelques minutes, et cette somnolence devint angoisse, elle se sentait continuellement glisser dans le sommeil et en émergeait avec un sursaut de peur, mais le besoin de s'y abandonner devenait insupportable et doux comme si elle s'enfonçait lentement dans un bassin d'eau chaude et y restait suspendue, les cheveux ondoyants, sans même ressentir le besoin de respirer. Sa dernière question fut sans réponse : « Il n'est pas venu, il ne viendra plus... lui aussi est un lâche, il est né ici... »

Elle se réveilla à l'aube, tremblante de fièvre et de froid. Le feu s'était éteint. Elle réussit à se traîner jusqu'au lit, s'enfouit sous les draps sans quitter sa couverture et se rendormit immédiatement.

Toute la journée du lendemain, elle garda le lit avec

une forte fièvre, espérant entendre au moins un élève frapper à sa porte, ou le concierge Allegrezza envoyé par l'école prendre de ses nouvelles. Mais personne ne vint. Elle se sentit complètement abandonnée et dormit presque sans interruption, ne se réveillant que poussée par la peur ou la faim. Ce devait être une journée glacée mais il n'y avait pas un nuage dans le ciel. Elle entendit pourtant le vent furieux parcourir le pays, vit le soleil pénétrer dans la pièce, ce faisceau de lumière qui explorait lentement la chambre et lentement s'éteignait, elle vit le jour mourir, les auvents battre sur les toits et disparaître dans l'obscurité. L'unique vie qu'elle perçut furent les cloches de la cathédrale qui sonnaient les vêpres. Elle eut une drôle de pensée : « J'imagine la Vierge Marie, toute blonde, proprette, avec son voile bleu et blanc au milieu de ces femmes noires qui réclament sournoisement des subventions. Maudites... elles ont même des moustaches... »

3

Cette même nuit, vers trois heures du matin, on entendit le bruit d'une grosse moto arriver lentement le long de la grand-rue. Elle stoppa sur la place. Le ronronnement du moteur, lent et régulier, devint continu et obsédant. Un à un tous les habitants de la place s'éveillèrent et entrebâillèrent leur fenêtre. Ils virent la grande moto arrêtée, et les silhouettes immobiles du conducteur et de son passager. On ne distinguait pas leurs visages, mais seulement le manteau et le béret noirs de l'un, et la cagoule de l'autre. Les curieux, muets, transis de froid, regardaient depuis les fentes obscures des persiennes ces deux hommes figés, éclairés par le seul réverbère de la place. Ils semblaient soudés l'un à l'autre : la sourde cadence du moteur les faisait légèrement vibrer.

Plus d'une heure s'écoula ainsi. Enfin, du haut de la grand-rue apparut le caporal-chef des carabiniers. Il avançait lentement, emmitouflé dans sa capote militaire bleue, la casquette enfoncée jusqu'aux oreilles, une longue écharpe noire enroulée autour du visage. Il s'arrêta à dix mètres.

– Eh, vous deux!

Les deux hommes ne répondirent pas, ne firent aucun geste et le caporal-chef, lui aussi immobile, les observa en silence. Ce géant d'un mètre quatre-vingt-dix ne put retenir un frisson : il glissa discrètement la main dans la poche de sa capote et empoigna son revolver. Prudemment, il se pencha pour mieux voir leurs visages. A ce moment on entendit un très lent bruit de sabots, et de la rue obscure déboucha un paysan à dos de mule. Enroulé dans sa cape, coiffé d'une large casquette, on ne voyait de lui que les pieds suspendus aux flancs de la bête. Le caporal-chef leva un bras.

– Halte!

Du fond de son col, l'homme émit un grognement et ils s'arrêtèrent, lui et sa bête.

– Comment vous appelez-vous?

– Passalacqua Sebastiano.

– Passalacqua, mettez-vous là, près de la moto et assurez-vous que personne ne s'en approche jusqu'à mon retour.

– Et pourquoi?

– Ces deux hommes sont morts!

Peut-être par crainte de l'ombre gigantesque du caporal-chef qui venait à sa rencontre, peut-être à cause d'un brusque mouvement du paysan, la mule se mit à reculer.

– Arrêtez-vous, Passalacqua! Je vous rends responsable! Restez là jusqu'à ce que je revienne.

Le paysan baissa un peu son col. Il avait des traits tout engourdis, les yeux encore gonflés de sommeil, l'haleine qui enfumait l'air. Il eut un léger grognement et avança. Le lent cliquetis des sabots se répercuta dans la place déserte. Ainsi, ils attendirent dans la nuit glacée, le paysan immobile et noir sur sa mule, la moto qui continuait à ronronner avec les deux cadavres rigides sur leur siège, et des dizaines d'yeux qui scrutaient à travers l'obscurité des maisons.

L'adjudant arriva, suivi de deux carabiniers. Il portait une curieuse cagoule de laine verte, des bottes, une capote et un ceinturon. Il était très essoufflé et avant même de s'approcher, poussa brutalement le plus jeune des gendarmes.

– Santocono, va chercher le maire et le docteur Sanguedolce! Réveille-les! Démonte la maison! Ils doivent venir immédiatement. Toi, Ferraù, prends le nom de ce paysan et renvoie-le. Personne ne doit s'approcher, on ne doit toucher à rien, absolument à rien.

Il contourna lentement la moto en scrutant les deux cadavres. Il avait été réveillé en sursaut et s'était presque arraché les poumons à force de tousser. Maintenant il se sentait mal, peut-être à cause du froid, ou de la peur. Il proféra deux jurons à voix haute sachant bien que des regards se cachaient derrière les vitres sombres. Il fit le tour de la place, le manteau voletant et les mains derrière le dos, regardant les balcons un à un. Puis il revint s'immobiliser devant les deux cadavres et vociféra un juron.

Le docteur Sanguedolce arriva le premier, un manteau rapidement enfilé sur son pyjama, coiffé d'une cagoule et d'un chapeau. Il observa les deux hommes, tourna lui aussi, autour de la moto, sortit une lampe de poche et examina longuement leur visage. Du pouce, il effleura leurs paupières puis éteignit la lampe.

– Celui-ci a été touché par une balle dans l'orbite droite, une autre au-dessus de l'oreille et peut-être une troisième à la nuque car les cheveux sont couverts de sang. L'autre a reçu trois projectiles partant tous du sommet du crâne, probablement tirés de haut en bas.

L'adjudant ne comprit pas tout de suite.

– Ce qui veut dire?

– Ça signifie qu'au moment d'être tué l'homme était peut-être à genoux. Ils leur ont laissé les yeux ouverts... Leurs mains étaient sans doute déjà attachées quand ils sont morts, puis ils les ont hissés sur la moto et liés l'un à l'autre.

Le maire accourut dans un vieux pardessus. Incapable de comprendre ce qui s'était passé, il semblait surtout apeuré, n'osant même pas s'approcher des cadavres, mais il finit par avancer lentement et les regarda bien en face :

– Jamais vus dans ce pays... Je ne les connais pas... Pourquoi les a-t-on amenés ici?

Le juge se montra un peu avant l'aube. Il pleuvait des cordes depuis une demi-heure. Vent et eau de toute part, d'obscurs ruisseaux de boue descendaient des mystérieuses ruelles et se perdaient dans la vallée. Le caporal-chef et les deux gendarmes s'étaient adossés à une porte cochère. L'adjudant, le médecin et le juge avaient trouvé refuge sous les colonnes de la cathédrale et attendaient en silence. Au centre de la place, la moto et ses occupants : le moteur s'était arrêté, et les deux corps, complètement trempés, ressemblaient à des poupées de chiffon.

Le juge se comportait comme un petit fauve, il touchait, scrutait, se déplaçait par bonds, entraînant derrière lui un carabinier avec son parapluie, posait des questions à voix haute sans même regarder l'interlocuteur en face.

– Qui s'en est aperçu le premier?

– Le caporal-chef. Il y avait ce bruit de moto qui n'en finissait pas...

– Qui sont ces deux-là?

– Jamais vus!

– Adjudant, qui était de patrouille cette nuit?

– Personne. Toutes les forces sont restées à la caserne. Il faisait trop froid!

– Combien de balles ont-ils reçues?

– Six! Trois chacun... toutes à la tête. Il faut les déshabiller, pratiquer l'autopsie...

– Convoquez tous les habitants de la place à huit heures. Quelle heure est-il?

– Cinq heures.

– Allez, adjudant, faites transporter les deux victimes dans la remise de la caserne.

– Doit-on les détacher?

– Sûrement pas! Attachés tels qu'ils sont, avec la moto...

Les deux gendarmes se placèrent sur les côtés, tenant d'une main le guidon et de l'autre les corps, le caporal-chef derrière eux pour surveiller la bonne marche des opérations. Ils commencèrent à pousser très lentement l'étrange cargaison le long de la grand-rue ténébreuse. L'adjudant marchait devant pour éclairer le chemin de sa lampe de poche. Suivaient, en silence, juge, maire et médecin sous un seul parapluie.

La moto et les deux cadavres furent rangés au centre du petit garage, on descendit le rideau de fer, laissant un planton dehors sous l'eau et le vent. Le maire Liolà et le docteur Sanguedolce tombèrent de fatigue sur un banc, observant, sans un mot, le juge qui s'était remis à tourner lentement autour des deux cadavres ruisselants de pluie. Il en examina chaque détail : les vêtements, les blessures, les liens aux mains et aux chevilles, les chaussures, et laissait échapper en même temps un petit grognement de fureur. Il fit aussi mine de leur donner des coups de pied, enfin il explosa :

– Saloperie de saloperie! Est-il possible que dans ce pays on puisse promener des cadavres attachés sur une moto sans que personne ne s'en aperçoive!

Il agita très rapidement les doigts en l'air, comme pour dévisser des ampoules. Il voulait probablement expliquer qu'il s'agissait d'une chose folle, une chose à faire exploser la tête.

– Messieurs, il se passe ici des faits incroyables, je ne sais pas si vous vous en rendez compte... L'autre jour on a tué un homme et on l'a assis au beau milieu de la place avec une petite fleur dans la bouche. Il ressemblait à un panneau publicitaire! A présent deux morts arrivent en moto! Mais quoi? Sommes-nous au théâtre? On est tous en train de perdre la face! Adjudant Orofino, c'est à vous que je m'adresse... A vous aussi, monsieur le maire!...

Il semblait envahi par une sorte de frénésie, une impatience croissante, allait et venait à petits pas, tapant des pieds comme s'il avait froid. De temps en temps il s'arrêtait les mains derrière le dos, les jambes encore tremblantes et les yeux clos dans une attitude de profonde concentration. Il hurla :

– Mais à quoi foutre servent les carabiniers ici?

L'adjudant avait enfoncé sa tête dans la capote, et de la cagoule émergeaient à peine ses yeux gonflés de fièvre et ses moustaches. Le caporal-chef Ferraù n'avait au contraire pas quitté sa position de garde-à-vous, n'ayant tenté que deux ou trois fois de soulever du sol, à petits coups de pied, une vieille casquette militaire. Soudain il retint sa respiration : le juge s'était arrêté devant lui, les mains derrière le dos, le manteau déboutonné, l'écharpe pendante. Au soupir d'impatience qu'il fit on comprit qu'il essayait de lui dire quelque chose :

– Caporal, il n'y a pas de toilettes ici?

– Non monsieur, il faut monter à la caserne.

– Alors relevez le rideau.

Le caporal-chef s'exécuta. Le planton qui avait cherché refuge à l'angle du mur fit un pas en avant et se mit au garde-à-vous, le juge déboutonna sa braguette et pissa sur le trottoir, guettant la rue inondée de pluie. Il reboutonna rapidement son pantalon avec un frisson de satisfaction. Le caporal-chef rabaissa le rideau de fer derrière son dos et tout le monde reprit sa position initiale. Le juge paraissait plus calme, il essuya lentement les verres de ses lunettes, alluma une cigarette et sourit.

– Caporal, y a-t-il un chiffon propre, quelque part?

Le caporal-chef jeta un regard désespéré autour de lui puis fourra la main dans sa poche.

– Le mouchoir?

– Bien, le mouchoir! Essuyez, s'il vous plaît, le visage de ces deux infortunés motards. Délicatement...

Le caporal-chef obéit : à l'aide de son mouchoir, il essuya doucement le visage des cadavres. Le juge approuva d'un signe de tête et appuya enfin une main sur l'épaule du mort placé sur le siège arrière, comme s'il voulait le défendre de ce qu'il jugeait être, en ce moment, la grande stupidité des êtres présents.

– Messieurs, résumons! Ces deux amis ne sont donc pas d'ici... Est-ce exact, monsieur le maire? Si je me trompe, corrigez-moi.

– Jamais vus! Inconnus.

– Et vous adjudant?

– Moi je vis ici depuis huit ans : c'est la première fois que je les vois.

– Parfait, c'est déjà un point d'acquis! Vous, docteur, pouvez-vous maintenant confirmer à quelle heure remonte la mort?

– Approximativement... depuis quatre ou cinq heures.

– Disons donc à une ou deux heures du matin...

– Plus ou moins... peut-être même avant, il faudra faire une autopsie.

– Splendide, messieurs! Un autre point d'acquis... Adjudant, pouvez-vous mettre le brancard à ma disposition pour que je me repose quelques heures avant qu'il ne fasse jour?

– Certainement! A vos ordres.

– Combien de carabiniers sont actuellement en service?

– Six, plus le caporal-chef ici présent.

– Alors le caporal-chef reste ici et surveille le garage. Que trois autres carabiniers soient postés aux trois entrées du pays afin de contrôler l'identité de toutes les personnes. Enfin choisissez cinquante hommes de dix-huit à soixante ans et convoquez-les à neuf heures ce matin... Il n'est pas forcément important qu'ils soient tous délinquants ou repris de justice... A présent, messieurs, nous pouvons aller dormir.

Il s'enveloppa dans son manteau et son écharpe, attendit que l'adjudant soulève le rideau de fer, et laissa échapper un petit cri de colère :

– Caporal Ferraù, que diable êtes-vous en train de faire?

Le caporal-chef avait étendu une toile militaire sur le sol et furetait autour des deux cadavres. Il retint son geste, un peu penché, au garde-à-vous.

– Le docteur m'a dit de détacher les cordes... d'allonger les deux corps sur la toile...

– N'en faites rien, pardieu! Ne les touchez pas! Ils doivent rester comme ça!

Il ne répondit même pas au regard interrogatif de l'assistance.

– Moi, je sais pourquoi!

Elena fut convoquée à la caserne le lendemain matin à neuf heures. Par une des fantastiques bizarreries de l'automne sicilien, au lever du soleil, le vent était tombé. Le tissu de nuages était lentement devenu rose et transparent pour enfin s'évaporer comme une fumée. La vallée entière paraissait verte, grise et splendide.

A huit heures, Elena se prépara pour aller à l'école. Elle pansa ses genoux et ses coudes, enfila un pantalon de laine, se coiffa soigneusement. Elle éprouvait un plaisir presque rageur d'apparaître plus jeune et plus séduisante que jamais. Une sorte de défi.

Une animation insolite régnait dans le pays. Elena traversa la place sans éviter les regards. A mesure qu'elle avançait, les hommes s'écartaient en silence, beaucoup ôtèrent leur chapeau, un petit groupe d'enfants qui s'acheminaient vers l'école s'arrêta sur le trottoir. Elle rencontra aussi le garde-champêtre au visage gras et candide qui, la voyant, recula pour lui céder le pas, lui fit le salut militaire et deux courbettes. Dans chaque regard elle crut reconnaître le même imperceptible émerveillement, un sourire de dévotion presque apeuré.

Elle entra dans le bar pour prendre un café. Tous les hommes qui déjà se pressaient autour des tables de jeux se levèrent respectueusement. Elena eut la tentation d'en gifler un : « Canailles, l'autre soir on essayait de me tuer et vous êtes tous restés là à me regarder! Maintenant vous me saluez sans même me connaître! Quelle bande de lâches! »

Tout à coup, sur le trottoir, à l'entrée du café, apparurent quelques ombres noires : cinq femmes enveloppées de châles parlaient avec animation et épiaient derrière les vitres sans oser s'aventurer à l'intérieur. Parmi elles Elena reconnut la mère de l'élève Calafiore, qui se mit à rire joyeusement; elle réclama immédiatement l'attention des autres. Elles masquèrent un peu leur visage dans leur châle et entrèrent toutes ensemble. Les traits de la femme Calafiore se figèrent en un sourire de totale soumission.

– *Baciolemani*, j'embrasse vos mains madame la maîtresse, je venais justement vous dire que la mairie m'a déjà fait apporter la feuille de subvention. Mon mari m'a dit aussi : va remercier la maîtresse pour ce bienfait à notre famille!

A cet instant le carabinier Santocono apparut avec sa belle figure ronde de paysan et fit le salut militaire :

– Mademoiselle Vizzini, monsieur le juge vous demande de venir à la caserne!

A l'apparition du carabinier les femmes s'étaient affolées, et s'en allèrent toutes ensemble, le châle sur le nez, comme une envolée de corbeaux après un coup de fusil. Elena sourit avec arrogance.

– J'arrive! Monsieur le juge daigne enfin me recevoir!

Elle but son café, fit un petit salut de la tête et s'en alla d'un pas rapide vers la caserne. Elle se sentait bien, de plus en plus gaie : « Ces idiots ont finalement su ce qui s'était passé! Ils ont mis trois jours. Moi je n'ai rien compris, eux non plus, certainement. »

A quelques mètres de la caserne, elle alluma, par défi, une cigarette :

– Bonjour, caporal! A vos ordres...

Elle resta perplexe devant la figure du caporal-chef dévastée par le sommeil, et plus encore lorsqu'il la pria de le suivre vers le garage. Le planton leva le rideau de fer et Elena éprouva tout à coup une sensation de terrifiante angoisse : la sensation vraiment folle d'être prise au piège! Elle recula instinctivement et se pétrifia devant cette moto pointée sur elle. Pendant une fraction de seconde elle ne comprit même pas que les deux hommes aux yeux écarquillés et éteints, le visage blême, étaient des cadavres. La voix du juge fut si inattendue qu'elle émit presque une plainte en se retournant.

– Ne semblent-ils pas vivants, mademoiselle Vizzini?

Elle lui jeta un regard plein de haine puis fixa de la même façon l'adjudant qui se tenait, silencieux, au fond du garage. Elle dit simplement :

– Qui sont ces deux-là?

Le juge inclina légèrement la tête en la regardant avec admiration :

– Vous ne le savez pas?

– Je ne le sais pas! Qui sont-ils?

– Mademoiselle Vizzini, c'est à moi de poser des questions et c'est pourtant vous qui le faites, c'est un comble! Vous ne connaissez vraiment pas ces deux hommes? Vous ne les avez jamais vus? Pensez-y bien!

– Jamais! Et je voudrais savoir ce que vous me voulez!

Le juge la regardait sans répondre, un sourire moqueur au coin des lèvres et Elena se sentit submergée par la colère.

– J'ai le droit de savoir! Quelle est cette farce?

Du coup, le juge se mit lui aussi en colère. Elle ne l'avait encore jamais vu comme ça. Il eut une espèce de léger hénissement des narines, ses mains tremblaient, même sa tête tremblait pendant qu'il criait :

– Selon vous, deux personnes assassinées sont une farce? Deux hommes abattus de sang-froid avec six coups de pistolets à la tête, attachés sur une moto et abandonnés au milieu de la place! Mademoiselle Vizzini, d'après vous c'est une farce?

Elena avança vers lui en essayant de crier plus fort :

– Et moi qu'ai-je à y voir? C'est vous qui en faites une farce... me mettre devant ces deux morts... me les flanquer carrément à la figure sans prévenir!

Elle se retrouva tout près des cadavres et en eut un dégoût si violent, un frisson proche d'une secousse électrique, qu'elle était prête à fuir. A force de hurler sa voix devint stridente.

– Et vous ne me dites même pas comment ni pourquoi, même pas ce que vous attendez de moi. Vous m'envoyez seulement chercher pour me pousser devant ces deux cadavres : mademoiselle Vizzini, ne semblent-ils pas vivants? Et pourquoi, pourquoi? Ça ne vous paraît pas être une farce?

A deux ou trois reprises le juge avait vainement tenté de l'interrompre en criant plus fort, il y réussit enfin en se hissant sur la pointe des pieds.

– D'accord! Ça veut dire alors que la farce est finie...

– Eh bien au revoir, juge, et merci du spectacle... moi je m'en vais!

– Ne bougez pas ou je vous fais arrêter...

Ils s'immobilisèrent, essoufflés l'un en face de l'autre, le juge au visage perlé de sueur, Elena tremblante de colère et de peur. L'adjudant, le visage blême, avait fait un pas en avant, le caporal-chef avait rentré sa tête dans les épaules. Deux ou trois secondes s'écoulèrent et Elena fut la première à faire quelque chose : d'un mouvement rageur, elle fit voler ses cheveux et tourna le dos à la scène.

– Pourquoi ne me mettez-vous pas de menottes?

Le juge ne répondit pas tout de suite. Il ôta lentement ses lunettes, les essuya avec son mouchoir, lissa ses cheveux, alluma une cigarette, fit, sans se presser, le tour du garage avec ses mains derrière le dos, sans la regarder. Sa voix était redevenue gentille et soumise :

– Regardez ces deux hommes...

Elena se tourna.

– Je les regarde!

– Êtes-vous myope, mademoiselle?

– Un peu...

– Veuillez mettre vos lunettes, je vous prie...

– Voilà les lunettes.

Elle les enfourcha lentement et les poussa en faisant glisser son index sur le nez. L'attitude était un peu moqueuse.

– J'ai mis mes lunettes.

– Dites-moi si vous les connaissez...

– Je ne les connais pas, je ne sais pas qui ils sont.

– Regardez mieux, je vous prie...

– Je les regarde très bien, je ne pourrais mieux les regarder.

Le juge ne releva pas le défi, il se limita à fermer les yeux dans un geste patient d'approbation.

– Soyez gentille, dites-moi si vous ne les avez jamais vus.

Avant qu'elle puisse répondre il leva gentiment la main.

– Je ne vous demande plus si vous les connaissez... Mais simplement si vous les avez déjà vus.

– Jamais!

Le juge l'observa quelques instants puis acquiesça silencieusement de la tête. Il fit quelques pas vers le mur, revint en arrière et la fixa à nouveau. Il sourit.

– Voyez-vous, mademoiselle Vizzini, ça ce n'est pas vrai.

Silence. L'adjudant s'était assis sur l'unique chaise au fond du garage, on n'entendait même plus la respiration du caporal-chef. Le juge agita deux doigts en l'air et indiqua les cadavres.

– Mademoiselle Vizzini, nous savons avec certitude une chose : il y a trois jours ces deux hommes vous ont agressée pendant que vous sortiez de la mairie. Ils vous ont battue et traînée le long de la place. Vous les avez donc déjà vus au moins une fois... Pourquoi vouloir le nier?

– Parce que je ne les avais jamais vus auparavant. Parce qu'ils m'ont agressée et frappée mais je ne savais pas qui ils étaient ni pourquoi ils le faisaient... Maudits soient-ils... Et maintenant je ne sais pas non plus pourquoi on les a tués.

Elle leva les bras dans un geste de colère si violent que l'adjudant croyant qu'elle voulait gifler le juge se souleva à demi sur sa chaise. Se sentant prise au piège, Elena eut en effet cette tentation, mais elle se défoula en criant :

– Parce que si je vous avais dit la vérité, vous ne

m'auriez pas crue... et en fait vous ne me croyez toujours pas. Allons, dites-le tout de suite que vous ne me croyez pas!

Le juge fit un signe de tête au caporal-chef.

– Faites venir le greffier.

Le caporal partit. Le juge prit le paquet de cigarettes et le tendit poliment vers Elena.

– Voulez-vous une cigarette?

– Non, merci.

– Un café chaud?

– Non plus!

Le juge alluma sa cigarette, et éteignit l'allumette en la secouant tout doucement; il faisait ces gestes comme s'il se voulait le plus courtois possible, puis reprit sa lente promenade. Elena regarda les deux morts et en eut un nouveau haut-le-cœur de répulsion : le passe-montagne du jeune homme assis à l'avant avait été baissé, laissant apparaître un visage blanc comme la craie, traversé des cheveux à la bouche par un filet de sang noir. Le plus horrible n'était pourtant pas les yeux qui semblaient gonflés d'eau grise, mais les deux trous de narines et les dents jaunes.

Elena sentit augmenter une curiosité presque morbide. Les corps avaient été liés ensemble avec une planche glissée entre les deux sièges de la moto, les jambes étaient aussi attachées avec des bouts de fil électrique et celui qui se trouvait devant avait les poings noués au guidon, si bien qu'il donnait l'impression d'être en train de conduire. Pour qu'enfin les têtes restent droites, on les avait reliées l'une à l'autre par le cou. Elena pensait : « Ils voulaient me tuer et je ne sais même pas qui ils sont! Regarde maintenant ces deux cons... Mais que diable me voulaient-ils? »

Le greffier Riccobono entra, celui qu'elle avait déjà vu une première fois, un peu voûté, des lunettes, les cheveux gris, un long visage impassible. Il salua sans un mot et s'installa sur une chaise, une tablette sur les genoux, comme les écrivains publics et ambulants qui se tiennent devant les bureaux de l'état civil. Le juge commença à dicter lentement le procès-verbal.

Elena sortit de la caserne à midi et quart. Comme toujours, à cette heure-là, une foule grouillait un peu partout et semblait poussée par une infinité d'occupations même si, en réalité, ces gens se trouvaient là parce qu'ils n'avaient rien d'autre à faire. Ils marchaient de long en large, entraient dans les cafés et les cercles, en sortaient, parlaient, allaient et venaient. Au milieu de ces centaines de piétons Elena eut l'infaillible intuition que quelqu'un la suivait. Elle se retourna et réussit à entrevoir un petit homme vêtu de noir, immobile à l'angle de la rue, les yeux fixés sur elle : en l'espace d'une seconde, à peine croisa-t-il le regard d'Elena, qu'il fit demi-tour et disparut.

Il y eut l'habituelle parade de salutations devant le cercle des bourgeois cette fois encore plus dévoués et prévenants, comme si chacun tenait à se faire connaître et apprécier : l'un après l'autre, ils ôtèrent leur chapeau, le maire Liolà faillit perdre l'équilibre en voulant se lever avec trop de fougue, le docteur Sanguedolce fit une profonde révérence, le plus réservé fut l'adjoint au maire Tuttobene qui se limita, avec sa grosse tête impassible de cheval, à faire un petit signe.

Arrivée au centre de la place, Elena eut encore une fois la mystérieuse certitude d'être suivie et éprouva un instinctif frisson de peur. Elle ralentit son pas, dévia vers les escaliers de la cathédrale, puis revint à l'improviste sur la grand-rue : elle vit à nouveau cette minuscule silhouette sans avoir le temps de découvrir son visage puisqu'elle disparut derrière un groupe de paysans et se glissa ensuite entre les colonnes de l'église. Elle fut prise du désir furieux de le suivre. La place ensoleillée était pleine de monde, toutes les boutiques étaient ouvertes, les cercles bondés, il y avait même un carabinier posté dans la grand-rue.

« Il ne peut certainement pas vouloir me tuer maintenant, au milieu de tout le monde! Trop difficile... Pourquoi ce nain me suit-il? Ils vont me rendre folle! »

Il avait dû se réfugier dans la cathédrale. Elena monta rapidement les escaliers et entra dans l'église. Dans la pénombre de la nef, elle ne vit qu'une femme agenouillée près de l'autel, si penchée qu'elle ressemblait à une serpillière noire sur le prie-Dieu. Personne d'autre. Elena se cacha alors derrière la colonne des fonts baptismaux et s'aperçut qu'une ombre masculine avait obscurci le filet de lumière du portail d'entrée : elle courut en avant pour lui barrer la route mais réussit seulement à entendre un bruit de pas précipités qui s'éloignait vers les profondeurs de l'église. Et puis le silence. En retenant sa respiration, Elena glissa d'une colonne à l'autre et vit le petit homme à côté d'un autel qui la regardait, immobile.

A peine bougea-t-elle qu'il disparut, quelques secondes s'écoulèrent et il réapparut sur les marches de l'autel central. Si Elena s'arrêtait, lui aussi, mais à peine faisait-elle un pas qu'il s'éclipsait. La scène se répéta encore. Elena fit un mouvement et l'homme disparut derrière les hauts sièges du chœur.

« Je dois savoir qui c'est... On peut me tuer d'un moment à l'autre sans que je comprenne pourquoi... Mais je lui casserai d'abord ce crucifix sur la tête! »

Elle tourna prudemment autour des fauteuils en scrutant chaque coin jusqu'à ce qu'elle arrive derrière l'autel principal et s'engage dans un sombre couloir.

« Voilà, ici on pourrait vraiment m'assassiner... Qui me sauverait? »

Elle parcourut en courant une dizaine de mètres dans l'obscurité et déboucha sur une immense salle pleine de vieux tableaux, de lustres chargés de bougies, de tabernacles, et d'ornements sacerdotaux : au milieu de la pièce s'élevait un monumental fauteuil en bois doré sur lequel était avachi sans soutane, le chanoine Leone, en train de fumer. Il resta la bouche ouverte à regarder Elena qui hésita à le reconnaître ainsi, le pantalon déboutonné, une vieille chemise de coton bleu et les cheveux en désordre.

– Mademoiselle Vizzini, je ne vous avais pas entendue entrer...

– Je me suis retrouvée dans le couloir... Excusez-moi...

Le chanoine avait essayé de reboutonner fébrilement son pantalon quand Elena jeta un regard nerveux à travers la pièce.

– Je cherchais quelqu'un, je croyais qu'il était entré ici... Où mène cette porte?

– L'antichambre de la sacristie, après il y a la ruelle...

Elena tressaillit et le chanoine s'interrompit car un léger bruit de pas se fit entendre dans l'autre pièce. Au même instant la porte s'entrouvit laissant apparaître un homme très petit avec une tête couverte de cheveux blancs, une capeline sur les épaules et une chaufferette délicatement serrée sur sa poitrine. Il avança à petits pas, en traînant les pieds, comme s'il n'arrivait pas à marcher. Il sourit à tous deux en faisant de minuscules hochements de tête.

– Il fait froid, très froid... Vous ne ressentez pas ce froid, vous?

Il s'inclina d'abord avec ferveur devant le prêtre, adressa un gentil signe à Elena et s'immobilisa pour la regarder. Le chanoine Leone posa une main sur son épaule en parlant d'une voix ostentatoire, comme on le fait en présence d'un sourd.

– C'est don Nunzio Carabina, maître d'orgue de la cathédrale. Il aura bientôt quatre-vingt-dix ans.

Le vieillard fit un sourire d'enfant et précisa :

– Quatre-vingt-onze.

Il était vraiment splendide, avec cette masse de cheveux blancs, les moustaches et les sourcils tout aussi blancs, des petits yeux bleus rieurs. Il s'inclina encore, prit une clé au mur et disparut dans le couloir.

– Quel extraordinaire vieillard! Vous avez vu!

Entre-temps, le chanoine Leone avait réussi à reboutonner son pantalon et à enfiler sa soutane, reprenant ainsi son apparence de sainteté un peu maladive.

– C'est vraiment un homme incroyable! Pensez qu'il ne connaît pas une seule note de musique et ne sait jouer qu'une polonaise de Chopin et la Toccata et Fugue de

Brahms. Il les joue depuis cinquante ans, mais désormais de façon si parfaite qu'il y a trois ans de cela on l'invita à se produire au théâtre Massimo de Palerme avec ces deux partitions. Le public l'acclama... Comment leur expliquer que don Nunzio Carabina ne sait rien jouer d'autre?

Le chanoine noua soudain ses doigts et eut un sourire douloureux.

– Mais, mademoiselle Vizzini, vous cherchiez quelqu'un n'est-ce pas?

– Je croyais... Voilà, je l'avais vu près de l'autel central... Il n'y a pas d'autre sortie?

– Seulement celle de la sacristie.

Il insista pour la raccompagner. En passant devant le tabernacle, il s'agenouilla et se signa dévotement, puis d'un geste amoureux, il montra les nefs.

– Regardez, quelle splendeur, quelle solennité! C'est la plus belle église de la province.

En se dirigeant vers l'imposante porte, Elena entendit la plus grande nef vibrer de trois puissantes notes d'orgue, suivies de quatre autres notes plus basses et profondes qui se prolongèrent dans chaque coin de la cathédrale. Elle eut l'impression que les vitraux de la majestueuse coupole tremblaient. Une merveilleuse cascade de notes déborda du chœur, si limpides et triomphales qu'elle en fut étourdie. « Ils vont me rendre vraiment folle : je poursuis un nain qui se sauve comme un furet et je me retrouve devant une espèce de cadavre vivant qui ne sait jouer que Brahms... »

En tout début de l'après-midi, le colonel commandant la légion des carabiniers arriva accompagné d'un capitaine et de huit carabiniers. Le colonel Saviero Lentulo, cinquante-huit ans, encore agile et vigoureux, aux cheveux gris et roux, était un homme valeureux qui avait fait la guerre dans les parachutistes et portait les rubans de nombreuses hautes décorations : il chaussait des bottes, tenait une petite cravache et portait un ample manteau noir et rouge. Le capitaine Rapisarda, qui se tenait respectueusement à deux mètres en arrière, était au contraire petit, voûté, avec une tête sans cou, les paupières gonflées et des moustaches de phoque.

Il restait oisivement dans le dos du colonel, tout à fait silencieux, mais la tête hissée de façon à faire croire que rien ne pouvait lui échapper. De temps en temps, il se fourrait une cigarette au milieu des moustaches. Le seul mot qu'il prononça en voyant les deux cadavres encore attachés sur la moto fut : « Merde! » et il regarda le colonel comme s'il attendait sa précieuse opinion, mais ce dernier ne bougea pas un cil. Il conserva sa position, jambes écartées, en fixant les dépouilles avec mépris, puis fit un léger claquement de doigts.

– Où est le juge?

– Il se repose! Il a travaillé toute la nuit, jusqu'à ce matin midi.

Derrière le colonel, le capitaine eut un grognement soumis :

– Ici, il y a deux morts et lui, il dort...

En attendant, le colonel décida de visiter le pays. Il avançait suivi d'un cortège d'hommes en uniforme : le capitaine Rapisarda, l'adjudant Orofino, à bout de souffle, le caporal-chef Ferraù et cinq carabiniers. Parfois il s'arrêtait pour poser une question et écoutait en méditant la réponse : il donnait l'impression d'avoir conquis militairement le pays. Il se refusa à rencontrer le maire, l'adjoint au maire ou tout autre notable et prit des dispositions pour que soit convoquée à la caserne une trentaine de personnes toutes choisies parmi les moins recommandables de la région. L'adjudant était bouleversé de fatigue, le visage réduit à un poing. Il fit des signes répétés d'approbation.

– Oui... oui, mon colonel; nous les avons déjà convoqués ce matin.

– Et vous les avez aussi interrogés?

– Oui, colonel.

– Interrogés, battus, malmenés?

L'adjudant aurait voulu répondre sur-le-champ, mais il ne pouvait plus retenir sa toux qui jaillit comme une avalanche. Il ne réussissait même pas à se mettre au garde-à-vous. Après d'autres signes désespérés lui vint enfin une voix pleine de râles :

– Oui, mon colonel, certainement...

– Et ils n'ont rien dit, rien révélé, fourni aucune piste pour l'identification?

– Rien! Ils ne savent rien...

Le colonel avait fait venir les trois chiens policiers de l'école de dressage afin qu'ils aident à établir si la moto était arrivée par la route nord ou sud. Avec la jeep de la caserne, il voulut aussi faire une reconnaissance dans les campagnes pour contrôler les carrefours et les chemins, donnant aussi ordre que des patrouilles inspectent toute la zone en explorant chaque maison, ferme ou cabane, pour découvrir d'éventuelles traces de moto, taches d'huile ou n'importe quel autre élément susceptible d'être utile à l'enquête.

Pour mieux voir la vallée entière et localiser les fermes les plus isolées, ils grimpèrent sur la margelle d'un puits. Ce groupe de militaires hissés sur ces pierres avec ce grand officier et son manteau virevoltant au milieu était impressionnant. Les paysans qui, au coucher du soleil, remontaient du fond de la vallée à dos de mule, se faisaient tout petits et saluaient en silence. Malgré le manteau, les bottes et son expression méprisante, le colonel, à cet instant, avait pourtant cessé d'être un fat. Il se mit à frapper avec sa cravache sur le coffre de la jeep et éclata de rire.

– Quelle bouffonnerie! On pourrait encercler le pays avec un bataillon armé... mais à quoi ça servirait? Chiens policiers, mitrailleuses, patrouilles... On ne réussira même pas à connaître le nom de ces deux voyous... Moi, je sais ce qu'il faudrait faire! Pas vous, caporal?

Du bout de sa cravache, il indiqua le pays accroché au sommet de la vallée.

– Il faudrait démolir les maisons une à une, sans laisser

une seule pierre, mettre les habitants dans des trains et les disperser, cent à Cuneo, cent autres à Trieste, cent à la maison du diable... Et ici, autour des ruines, mettre un grillage, des mines, des vipères, du fil de fer barbelé haute-tension, afin que personne ne puisse encore avoir l'idée d'y vivre.

Il donna un grand coup de cravache sur la carrosserie et regarda fixement le caporal qui ressemblait à une montagne mise au garde-à-vous.

– Ou je me trompe?

Le colonel était un géant, mais le caporal le dépassait de trois doigts, et à cet instant l'officier parut s'en rendre compte.

– Caporal, comment vous appelez-vous?

– Caporal-chef Giovanni Ferraù!

– Magnifique! Un nom mahométan...

Revenu dans l'habitat, il voulut remonter la grand-rue, accompagné seulement du capitaine et de l'adjudant. Il visita les trois églises, traversa la place et entra aussi au café dont la salle était déjà comble. Quand il parut le silence se fit total. Le colonel s'en félicita avec un petit sourire dédaigneux, puis il regagna la grand-rue en direction de la caserne et ralentit devant le cercle de la culture, comme s'il voulait passer en revue tous ceux qui étaient assis en enfilade sur le trottoir, lesquels, à leur tour, ne posèrent pas un seul regard sur cet homme majestueux au manteau rouge et noir qui les frôlait.

Le préfet de police Ciaramidaro, grand, chauve, triste, toujours les mains derrière le dos, un peu voûté, arriva en soirée accompagné par deux commissaires de la brigade criminelle. Trois mois plus tôt, il avait eu un petit infarctus : il était pâle, les joues un peu tombantes. On lui apporta une chaise dans le garage sur laquelle il se reposa en fixant les deux cadavres et en secouant la tête pour entendre le récit de l'adjudant. Durant l'entrevue avec le juge et le colonel, il parla très peu, se limitant à écouter en écarquillant les yeux et en approuvant tout ce qu'ils disaient. Il répéta deux ou trois fois la même chose :

– Ça ne peut pas continuer! Les gens sont assassinés puis mis en vitrine. Messieurs, sommes-nous en train de plaisanter? Nous ne connaissons même pas l'identité de ces morts...

Le colonel proposa de lancer un mandat d'arrêt contre dix des hommes les plus dangereux de la région.

– De ce fait nous atteignons deux buts essentiels : d'une part en soulageant pendant quelques semaines la société de ces dix voyous qui auront sans doute l'occasion de commettre d'autres délits dans le futur, et de l'autre en rassurant l'opinion publique : nous enquêtons, parbleu, nous avons des idées, nous suivons une trace...

Le juge s'y opposa. La fatigue le rendait plus gracile, étriqué. En une demi-heure il couvrit le sol de mégots et eut des sursauts de colère.

– Messieurs, je comprends votre indignation, mais la seule garantie pour les habitants est le respect de la loi... Je réponds de l'enquête, j'en assume la responsabilité!

Le préfet redisait en s'essoufflant :

– Messieurs, tout ceci ne peut durer, ici on tue les chrétiens dans la rue sans que l'on connaisse le nom des assassins... Alors disons-le messieurs, et baissons définitivement notre pantalon...

Le colonel devenait agressif. Après trois heures de discussions dans cet espace empli de transpiration et de fumée, il était le seul à garder une apparence parfaitement décente. Il tenait correctement sa cigarette entre l'index et le médium, n'eut pas un seul accès de toux, et se tint toujours droit avec seulement dans les yeux comme deux petits cercles rouges :

– Alors écoutez : moi je vous fais une autre proposition... ne vous scandalisez pas... Au point où nous en sommes il ne peut plus y avoir de crainte ou d'étonnement... Ce groupe de bourgeois, ces faux intellectuels qui pourrissent devant le cercle de la culture... Nous en choisissons quelques-uns parmi eux et nous les gardons deux jours... Ça provoque une révolution, d'accord, mais en attendant il en ressortira quelque chose... Je pourrais vous le jurer. Ils savent tout ce qui se passe et pourquoi.

Le préfet secouait la tête, toujours plus pâle, les yeux de plus en plus hagards.

– Aïe, aïe aïe!

Le juge finit par se mettre définitivement en colère. Il se leva, se mit à marcher dos à la table, criant et gesticulant face au mur :

– Je suis le juge et c'est moi qui décide ce qui doit être fait. Je suis un magistrat et les responsabilités m'incombent. Je suis le magistrat et, bon Dieu, personne ne peut me dire ce que je dois ou ne dois pas faire!

Ils élaborèrent un plan. La police essaierait d'identifier les morts en se servant des fichiers de casiers judiciaires et archives criminelles, montrant aussi les photos à tous les délinquants de la province. A leur tour, les carabiniers installeraient des barrages sur le territoire entier et fouilleraient minutieusement les alentours à la recherche d'une trace quelconque. Le juge Occhipinti, quant à lui, continuerait ses investigations sur place.

Ils s'en allèrent à une heure du matin. Le préfet se fit prêter une couverture militaire pour s'y enrouler dans sa voiture et tenter de dormir, le colonel et le capitaine voyagèrent ensemble sur la jeep en compagnie des carabiniers. Au cœur du pays désert, on entendit des voix qui se saluaient, quelques rapides claquements de talons, le bruit des portières, les moteurs des voitures et des motos qui s'éloignaient. Le village replongea dans un silence absolu, il n'y avait pas âme qui vive dans les rues sombres, pas une voix. Le juge Occhipinti resta un moment accoudé à la fenêtre de la caserne. Le sommeil emplissait ses yeux mais il voulut obstinément fumer une dernière cigarette. « Quel silence! C'est incroyable! Pourtant quelque part, dans l'une de ces maisons, il doit y avoir un homme qui tue sans que l'on sache encore pourquoi. Peut-être est-il éveillé, peut-être qu'en ce moment lui aussi réfléchit... Que diable pense-t-il? »

Il sentit derrière lui l'ombre gigantesque du caporal Ferraù, mais il était si absorbé qu'il tressaillit.

– Qu'y a-t-il caporal? Pourquoi n'allez-vous pas dormir? Deux gardes suffisent, désormais...

Le caporal tenait quelque chose entre ses mains.

– Le carabinier Passanisi m'informe seulement maintenant avoir trouvé cette pièce à conviction l'autre nuit, peu avant l'aube...

– Cette quoi?

Le caporal renversa un sachet de Cellophane et fit glisser sur la table une espèce de vieux chiffon noir.

– C'est un béret d'homme, très sale et usé...

Le juge le prit délicatement entre deux doigts et le souleva pour l'examiner.

– Vraiment infect... Et où l'a trouvé Passanisi?

– Il dit l'avoir découvert sous le portique de la cathédrale où il était en faction, la nuit dernière, après l'homicide.

Le juge approcha le béret de son nez comme s'il voulait le sentir et lâcha un grognement.

– Qui sait?

Au même moment, à une autre fenêtre distante de quelque deux cents mètres, Elena regardait le paysage noyé dans l'obscurité et le silence en songeant presque aux mêmes choses. De sa fenêtre, le spectacle était plus suggestif: cette étendue de toits endormis au milieu desquels s'ouvrait le vide mystérieux de la place, une sorte de clarté profonde dominée par la majestueuse silhouette de la cathédrale. Elle pensait : « Comme c'est étrange, en ce moment même l'assassin dort... blotti dans son lit, la tête enfouie sous les couvertures, ne laissant apparaître sur l'oreiller qu'une mèche de cheveux, une paupière close, le nez... Qui sait pourquoi on s'imagine que la nuit, un assassin garde toujours les yeux grands ouverts dans le noir pour penser avidemment à ses victimes, ou bien qu'il ne cesse de se tourmenter en frémissant à la moindre rumeur... Eh bien ce n'est pas vrai : l'assassin dort!

Elle commença à avoir froid mais ne s'éloigna pas de la fenêtre, préférant se serrer un peu plus dans sa veste de laine, tout en cherchant à contrôler son tremblement continu : « La vérité est que j'ai peur! Pour une raison que je n'arrive pas à comprendre, ils s'entretuent et je me trouve mêlée à leurs crimes... On est en train de me couper l'herbe sous les pieds. Je commençais à aimer un homme... Lui non plus ne m'est pas consenti, dommage... l'animal était pourtant tel que je le rêvais... intelligent et tendre, j'aimais aussi sa façon d'être prétentieux en faisant l'amour... il me faisait mal mais pouvait aussi être docile et souriant... Maudit bâtard, je t'aimais sincèrement... Où es-tu allé te nicher? Je voudrais bien pouvoir te le demander... n'avoir que trente secondes pour te dire : Belcore, salopard, mais que t'ai-je fait? Dis-moi la vérité... »

Les yeux fixes dans le noir, elle fut tout à coup foudroyée par une pensée : « Michele a justement disparu le soir de mon agression... Mais quoi? on me tue de coups, on me traîne sur la place publique comme un vieux chiffon et tu ne viens pas voir si je suis encore vivante? D'accord, admettons que ce soir-là tu n'en aies rien su... par une foutue coïncidence on ne pouvait pas se retrouver, tu étais souffrant... mais le lendemain... le lendemain soir on découvre deux cadavres et toi, Michele, où étais-tu? En quoi es-tu mêlé à toute cette histoire? Sale abruti, bâtard et lâche... »

Cette idée l'inquiétait, mais ce qui se passa dans la minute qui suivit ne fit qu'augmenter son trouble : un bruit de pas au fond de la ruelle déserte, une ombre qui avançait en rasant les murs. Elena réprima un cri. Cette ombre était celle de Michele Belcore. Il leva deux fois les yeux, traversa en courant et disparut. Il était en train de monter.

Elle attendit les paupières closes que Michele gravisse les vingt marches de l'escalier et atteigne le palier. Elle se laissa tomber sur le lit en s'enfonçant les ongles dans les paumes pour ne pas se précipiter vers la porte. Trois petits coups résonnèrent.

– Elena... Elena, ouvre...

Le regard rivé à la porte, elle n'arrivait même plus à respirer.

– Que veux-tu? Va-t'en!

La voix de Michele devint plus soumise, implorante.

– Je t'en prie, Elena, il faut que je te parle...

– Nous n'avons rien à nous dire! Va-t'en!

Il y eut, des deux côtés, ces mots rageurs mais à peine murmurés :

– Je ne m'en irai pas...

– Jamais je ne t'ouvrirai!

– Je m'assieds derrière la porte et j'attends toute la nuit.

– Tu es complètement fou!

– Pourquoi ne veux-tu pas m'ouvrir?

– Pourquoi devrais-je?

– Parce que je t'aime... Parce que tu m'aimes...

– Là tu as tort.Tu n'es rien pour moi, tu n'existes pas!

– Tu mens, ce n'est pas vrai!

– Allez-vous en, Belcore, laissez-moi tranquille!

– Elena, Elena... je t'aime, je t'aime...

– Et moi non! Moi je te méprise.

Elle attendit impatiemment la réponse mais les interminables secondes s'écoulèrent dans un silence absolu. Michele souffla d'une voix pleine de tristesse :

– Pourquoi?

Elena put enfin l'insulter. Elle attendait depuis trois jours, la colère et la haine étaient devenues insupportables.

– Parce que tu m'as abandonnée. Parce que tu n'es qu'un petit froussard insignifiant... Entends-tu, Michele Belcore? Un menteur et un lâche... On allait me tuer : toi, où étais-tu? On me torture à la caserne depuis ce matin : et toi, où te cachais-tu? Je n'ai jamais rencontré un homme plus vil que toi!

Silence. Elena se rapprocha de la porte et frappa deux coups secs contre le bois.

– Courage, Michele Belcore, qu'as-tu à répondre?

Silence complet, pas même un froissement ni une respiration sur le palier. Elena se sentit paralysée : « Il est parti... il est parti... merde... j'ai tout gâché! »

Elle éprouva un si grand désarroi qu'elle se mit à pleurer mais entendit au même moment la voix de Michele et ne se rappela pas l'avoir jamais trouvée aussi douce :

– Elena... Elena, je t'en supplie...

Elle sentit instantanément un bien-être dans tout son corps et enfonça les poings dans son ventre pour étouffer ce désir furieux, étourdissant. Elle se laissa lentement glisser contre la porte, et tira aveuglément le verrou en tournant le loquet. Mais elle pensait : « Je veux te frapper, je veux te voir pleurer... tu ne peux pas te moquer ainsi de moi... »

Dans la pénombre de l'étage, elle n'eut que la force de s'agripper à lui, et se sentant doucement traîner vers le lit, n'eut d'autre pensée que la volonté d'unir son corps à celui de Michele. Elle le tenait si fermement qu'il tomba sur elle de tout son poids avec son manteau et son écharpe.

Ils cherchèrent à se prendre comme ça. Michele réussit à se libérer de quelques vêtements, un verre se détacha des lunettes, il déchira presque son pantalon, tous deux gémissaient... Elena, nue sous son caban, parvenait à le soulever avec son ventre, pendant que ses mains tentaient fébrilement de le déshabiller... Quand elle sentit ses cuisses chaudes au milieu des siennes, elle poussa des petits cris de plus en plus rapides en attendant le moment d'être pénétrée. Elle se hissa désespérément sur ses reins, sentit le membre de Michele l'effleurer; il lui suffit de le sentir en elle un instant, un seul instant, pour s'arquer deux fois et retomber dans un cri de triomphe, un interminable râle de plaisir. Michele s'écroula, lui aussi, sur elle, avec encore ses chaussures aux pieds, le manteau à demi retiré, le pantalon descendu jusqu'aux genoux.

Ils se figèrent ainsi, haletants, enlacés, serrés l'un contre l'autre dans cet enchevêtrement d'habits. La respiration saccadée d'Elena s'apaisa et, sans se déplacer, sans se soustraire à son poids, elle le caressa doucement tout en lui murmurant à l'oreille :

– Je t'aime, Michele.

Subitement, immobile, la tête enfouie dans ses seins, il se mit à parler.

– J'ai su le même soir que deux hommes à moto t'avaient agressée... Que pouvais-je faire? Je suis passé plusieurs fois sous ta fenêtre, je suis resté caché toute la nuit sous le portique de la cathédrale... Je craignais à chaque instant que les carabiniers ne viennent chez toi... Puis, le lendemain tu n'es même pas venue à l'école, hier non plus...

– Sais-tu que ces hommes en moto ont été assassinés?

– Oui, je sais.

– On les a tués à coups de revolver, attachés sur leur moto et emmenés de nuit au milieu de la place...

Michele acquiesça par un léger hochement de tête. Tout en glissant les doigts dans ses cheveux, Elena lui releva lentement la tête, un poing fermé sous son menton.

– Tu sais tout, toi! Naturellement tu sais aussi qu'on m'a gardée quatre heures dans le garage de la caserne en compagnie de ces morts! Personne ne veut croire que je ne les connais pas... Toi non plus, n'est-ce pas?

– Non, mon amour, je te crois...

– Mais tu penses que c'est moi qui les ai fait assassiner?

Michele secoua silencieusement la tête tout en se collant plus fort contre elle. Elena lui demanda :

– Tu n'as pas peur d'être ici avec moi?

Il fit à nouveau signe que non et entreprit quelques mouvements délicats, comme s'il voulait lui caresser le sexe avec ses cuisses. Elle l'aida progressivement, lui tirailla les cheveux.

– Tu sais pourquoi ces choses arrivent, toi?

– Non, non...

Sa voix s'était déjà altérée et sa bouche arriva, violente,

sur les lèvres d'Elena. Elle sentit son membre l'effleurer et la chercher aveuglément. Dans un effort désespéré, elle s'immobilisa, retenant le désir fou de le guider tout de suite en elle.

– Jure-moi que tu n'as pas peur... Jure-moi que tu m'aimes!

– Oui, oui, oui...

– Tu ne dois pas m'abandonner, Michele...

– Non, non, mon amour...

Les mouvements étaient devenus rapides, leurs bouches essayaient de s'ouvrir l'une l'autre. Elena eut l'impression que le corps de Michele était devenu énorme. Elle le suivit avidement, attira les fesses vers elle en y plantant ses ongles et sentit que le plaisir allait exploser. Elle pensait furieusement : « Vite, vite... un instant, rien qu'un instant... » Se sentant pénétrée, elle réussit à s'accrocher à lui et fut soudain secouée d'un tremblement violent, vibra deux ou trois fois, et son gémissement se transforma en une longue plainte de bonheur.

La jouissance fut si intense qu'elle resta sans forces. Mais les mains de Michele étaient déjà sous ses reins, il l'empêchait de respirer en la serrant trop fort, en pressant trop sa bouche, avec des mouvements toujours plus amples accompagnés de gémissements et de soupirs, chaque fois qu'il s'enfonçait en elle. Elena crut que le membre de Michele avait grandi de façon insupportable, qu'il était brûlant et lui infligeait une blessure de plus en plus profonde : elle en éprouva un mélange de douleur et de volupté qui ne cessait de croître et ne comprenait pas si c'était un orgasme incomplet ou bien une jouissance à venir. Elle pensait : « Il va me tuer, je ne peux pas résister... Mon cœur va éclater... »

Malgré la faiblesse de ses bras et de ses jambes elle l'empoigna par les cheveux, le caressa, chercha continuellement ses lèvres, jusqu'à ce qu'elle le sente trembler et se raidir dans un gémissement aigu. Il tressaillit encore comme si son plaisir n'en finissait pas, et l'envahit brutalement. Sans un geste, sans un mot, ils s'éternisèrent, elle écrasée par lui, dans cet enchevêtrement de couvertures, oreillers et vêtements.

– Excuse-moi un instant...

Michele sourit, se leva lentement sur les genoux, déposa un doux baiser sur ses seins, son ventre, ses jambes, puis s'assit sur le lit et retira enfin son manteau, ses chaussures, son pantalon. Nu, il alluma une cigarette et s'étendit, jambes écartées, sur la couverture. Il était satisfait. Tout en fumant avec lenteur et avidité, il dit :

– Tu n'as pas de café ce soir?

– Bien sûr, mon amour.

Elena raviva les tisons dans la cheminée, prépara la cafetière et la mit sur le feu. Puis, elle aussi, alluma une cigarette et revint s'allonger près de lui, en caressant ses jambes et son ventre.

– Mon pauvre amour, tu es fatigué?

Ils rirent dans l'obscurité quand Michele reprit tout à coup le dialogue interrompu :

– Elena, tu ne connaissais vraiment pas ces hommes?

– Non, Michele, je ne les connaissais pas.

– Les avais-tu déjà vus quelque part?

– Jamais! Je ne les avais jamais vus.

– Que t'ont-ils fait exactement?

– Ils étaient dans la ruelle, derrière la mairie, et au moment où je passais ils ont foncé sur moi avec leur moto, celui qui se trouvait à l'arrière m'a attrapée par les cheveux...

– Ont-ils dit quelque chose?

– Rien! Ils m'ont traînée vers la place, je suis tombée, et ont recommencé à me traîner par les cheveux.

– Ils t'ont frappée?

– Non! Ils m'ont lâchée, alors j'ai essayé de me relever mais ils sont revenus et m'ont à nouveau tirée par les cheveux... Je croyais qu'ils voulaient me tuer...

– Mais?

– Mais ils m'ont subitement abandonnée et ont disparu.

– Tu ne te rappelles rien d'autre?

– Au moins cinquante personnes du café et des cercles étaient témoins de ce qui se passait, mais n'ont pas quitté leur tanière... Ils voyaient pourtant bien qu'on était en train de me malmener!

Ils gardèrent le silence. Elena se rapprocha, couchant sa joue sur le torse de l'homme.

– Michele, que se passe-t-il dans ce pays?

– Je ne sais pas...

– Mais pourquoi moi?

– Je ne sais pas.

Elle l'embrassa amoureusement en se blottissant davantage, mais fut soudain prise par un écœurement, une sorte d'inexplicable peur de la solitude. Elle comprit que la seule chose amie était ce corps d'homme fort, vivant, présent. Du bout des lèvres, elle frôla son nombril, vit son membre tressaillir et se raidir imperceptiblement, sentit sa main sur ses cheveux, et l'appela, dans un filet de voix :

– Tu n'as vraiment pas peur, Michele?

– Moi, je t'aime, Elena...

Elle se coucha sur lui et le couvrit de baisers, remonta la couverture sur son cou, le borda, se glissa plus près et enferma ses jambes entre les siennes. Leur respiration créa sous la couverture une tiédeur qui pénétra dans chacun de ses replis.

Elena se pelotonna contre ce grand corps rassurant auprès duquel elle avait trouvé refuge. Mais avant de sombrer dans le sommeil, elle pensa : « Et si je dormais dans les bras de l'assassin? »

4

La journée du lendemain devait commencer de façon grotesque, puis devenir angoissante, pour se terminer enfin triomphalement. Autour d'Elena, les choses se mirent à bouger frénétiquement, comme dans une représentation où les personnages entreraient sur scène en disant chacun leur réplique.

En début de matinée il ne se passa à peu près rien. Michele Belcore ne vint pas à l'école et le concierge Allegrezza expliqua que celui-ci avait envoyé quelqu'un dire qu'il était souffrant. Depuis quelques jours, même le concierge avait un étrange comportement de complice, il parlait à voix basse et gardait toujours son béret à la main. Il précisa :

– Le maître Belcore a trente-neuf de fièvre!

Elena se dit un peu cruellement : « Mais oui, la fièvre! Cette nuit je l'ai épuisé et c'est bien fait! A cette heure-ci, il doit dormir au fond de son lit! »

Quand la cloche de récréation sonna, elle préféra rester dans sa classe pour lire et fumer une cigarette, mais les élèves avaient à peine disparu en courant que quelqu'un frappa à la porte. L'étrange tête du directeur Battaglia apparut, puis, lentement, tout le corps suivit. Il avait une petite voix :

– Je ne voudrais pas vous déranger...

– Je vous en prie, monsieur le directeur.

– Mademoiselle Vizzini, je suis très embarrassé... Seuls le profond respect et l'estime que je vous porte me permettent de parler à cœur ouvert.

« Voyons où il veut en venir... », pensait Elena, tout en l'invitant à poursuivre avec un sourire amical. Le directeur se hissa deux fois sur la pointe des pieds et fit une grimace méprisante. Il leva le pouce.

– Ainsi que vous le savez... Je suis diplômé ès lettres et docteur en philosophie, reçu avec mention...

Au pouce il ajouta l'index.

– Vingt-neuf ans d'enseignement...

A mesure qu'il énumérait ses mérites, il faisait jouer ses doigts, les uns après les autres, comme les enfants des petites classes s'ingéniant à compter.

– Sous-lieutenant d'infanterie dans la division de Naples, trois ans de guerre au courage mal récompensé... Classé dixième au concours pour la direction didactique du centre sud... Huit ans de loyaux services dans cette région... Huit ans, permettez, dédiés à l'école avec amour...

Sa main était restée suspendue, il semblait sincèrement ému, ses paupières tremblaient.

– Les meilleurs moments de ma vie, entendez, mademoiselle, les meilleurs moments sacrifiés à l'enseignement, au devoir quotidien... Jamais une distraction, un film, une pièce de théâtre... Seulement trois absences en huit ans... Eh bien, mademoiselle Vizzini, vous ne le croirez pas...

Il se tut. Presque au garde-à-vous, il eut un petit rire misérable et la regarda en silence, comme pour souligner la tragique importance de la révélation qu'il allait faire.

– J'attends depuis trois ans une mutation à Palerme, dix demandes à l'inspection d'Académie, deux pétitions au ministère, des journées entières d'antichambre humiliantes, trois ans de droits bafoués...

A l'émotion succéda le dédain.

– Moi, un homme instruit, un combattant, un père de famille ignoré et offensé dans ses droits...

Et tout de suite le mépris se changea en compassion.
– Jugez vous-même, mademoiselle : je souffre de diabète, mes deux fils étudient à l'université de Palerme, mon épouse est atteinte de rhumatismes et d'asthme, j'ai personnellement subi une paralysie faciale, vous voyez? Œil, lèvre, oreille, la moitié du visage paralysé... Jugez!

« Diable, pensa Elena, voilà pourquoi il a toujours cet air de con! Le pauvre! »

Ne sachant que répondre, elle dit simplement :
– Je comprends!

Le directeur Battaglia fit une petite révérence, accompagnée d'un regard de chien battu.
– Voilà, gentille demoiselle... Je n'ajoute rien... Mais si un jour vous pouviez dire un mot pour Amedeo Battaglia, vous savez bien comment... Vous pouvez en outre compter sur ma dévotion et mon entière discrétion...

Sans lui donner le temps de répondre, il ébaucha deux révérences obséquieuses, recula à petits pas et s'inclina une dernière fois sur le seuil de la porte.
– Seule ma profonde estime pour vous m'interdit de me sentir humilié.

Elena était stupéfaite. Le directeur dut prendre son étonnement pour de l'émotion car sa voix devint tragique :
– Merci, merci...

Elena resta bouche bée. Elle n'arrivait pas à comprendre : « Il doit être fou. Il est vraiment convaincu que je peux donner des ordres à l'inspecteur académique, je téléphone et je lui dis : occupe-toi immédiatement d'Amedeo Battaglia! Qui sait ce que cet imbécile a compris! »

Les enfants commencèrent à rentrer dans la classe en criant. Elena frappa deux fois sur son bureau et un silence tombal se fit aussitôt. « C'est bien, pensa Elena, ils deviennent obéissants! Vilains garnements, en quelques semaines je vous apprendrai les bonnes manières! »

Elle donna une leçon de géographie et dicta un sujet de composition : « Parlez de votre famille. » En sortant de l'école, elle alla prendre un café, flâna un peu dans la grand-rue et répondit à une vingtaine de saluts débordants d'humilité. Elle décida de bifurquer vers le quartier Fiumara pour rendre visite à Calafiore Sebastiano, malade depuis trois jours.

Elle arriva accompagnée d'une flopée d'enfants qui revenaient de l'école : ils couraient, criaient, gesticulaient le long des talus parsemés de taudis et de tas d'immondices. Des dizaines de chiens apeurés étaient sortis de leur tanière, fuyant çà et là, dans le même nuage de poussière.

De nombreux enfants saluèrent Elena, d'autres s'approchèrent, intrigués. Sur son chemin, les femmes apercevant l'institutrice, s'avançaient à leur tour, si bien qu'en peu de temps une kyrielle entourant Elena déambula le long des sentiers.

Devant la maison de Calafiore il n'y avait qu'une petite fille assise sur une marche, qui disparut aussitôt. Quelques secondes plus tard la mère se montra, tenant son bébé dans les bras, immédiatement suivie de la vieille.

– Madame la maîtresse, madame la maîtresse...

– Je suis venue voir comment allait Sebastiano.

– Le pauvre enfant, comme il va être content...

Elle se mit instantanément à pleurer, balançant la tête en signe de désespoir. Elena eut peur.

– Puis-je le voir?

Tout le monde entra, la mère, la vieille, la fillette, Elena et une petite foule qui s'entassa sur le seuil. Sebastiano était couché dans le grand lit à côté de son père : tous deux laissant à peine sortir la tête des couvertures, l'enfant avec un visage de cire, les yeux cernés, le père avec une barbe grise et un vieux bonnet calé sur les oreilles. Ils regardaient, affolés, tous ces gens qui avaient surgi dans la chambre. Le père releva un peu la tête et le garçon sourit timidement à Elena. La mère pleurait, parlait, riait.

– Sebastiano, Ianuzzu, ta maîtresse d'école est venue, tu as vu? Elle était si inquiète, la pauvre... Tous tes camarades pensent à toi...

Elena s'arrêta à un pas du lit et se pencha vers l'enfant.

– Comment vas-tu, Sebastiano?

– Bien, mademoiselle, ma fièvre est tombée.

La vieille faisait elle aussi de grands gestes surexcités.

– Il délirait, la fièvre était montée à quarante.

La petite fille s'assit sur le lit mais la mère l'en chassa.

– Madame la maîtresse, excusez le désordre...

Elle borda son fils, le coiffa avec ses doigts, si bien que le petit visage émergeant à peine des draps parut encore plus maigre.

– Le premier soir il est arrivé avec des yeux brillants, son front brûlait, il claquait des dents et délirait... Le lendemain le docteur dit que c'était une pneumonie, trois jours d'angoisse, il n'en finissait pas de trembler de froid, d'appeler au secours... Le soir on le mettait au milieu de nous pour lui tenir chaud...

Elle pleura encore. Du fond de l'oreiller, la figure atterrée de Sebastiano écoutait ces terribles choses qui lui étaient arrivées et qu'il ne se rappelait pas. Le père aussi se lamenta :

– Il pleut dans la maison!

Elena lui sourit pour le consoler.

– Patience, monsieur Calafiore! Et vous, comment vous sentez-vous? Avez-vous toujours de la fièvre?

– Non, mais je suis encore faible... Que faire, si je me lève? Où voulez-vous que j'aille? Au moindre rayon de soleil je m'assois devant la porte et je fume une cigarette.

Pendant qu'il parlait, sa femme le plaignait du regard.

– Toujours malade, voyez dans quel état il est!

Il se recroquevilla davantage sous les couvertures.

– Pourtant, même assis, je me fatigue! La tête me tourne, alors je reste au lit, ça me repose. Je tiens compagnie à Sebastiano.

Avec ce bonnet, cette barbe grise, ses petits yeux

enfoncés, il semblait encore plus vieux et malade, et surtout très sale. D'ailleurs tout était sale dans cette pièce : le lit, les oreillers, les couvertures, le sol, les assiettes sur la table; une odeur insupportable émanait de toute chose mais particulièrement de ce lit. Malgré tout, Elena se pencha pour caresser Sebastiano et lui parler de plus près :

– Tes camarades t'attendent mais prends ton temps, tu dois d'abord guérir.

Elle lui sourit encore et fit à tous un signe de la main.

– Si vous avez besoin de mon aide, faites-le moi savoir.

Le vieux Calafiore se hissa sur un coude et ôta son bonnet.

– *Baciolemani,* je baise les mains, mademoiselle!

Tout le monde s'écarta pour la laisser passer. La mère voulut l'accompagner jusqu'au bout de la ruelle et continua à parler sans interruption.

– On nous a enfin accordé une subvention, tant mieux... Mais si mon mari venait à mourir, que ferions-nous? La municipalité m'a donné des médicaments gratuits pour Sebastiano, pauvre enfant, je l'ai vu mort, il ne pouvait plus respirer...

Une multitude de femmes était accourue des ruelles voisines. Elles entouraient Elena, s'interpellaient, se poussaient, chacune voulant raconter son histoire. Elles continuaient à parler même si Elena, occupée avec l'une d'entre elles, ne pouvait écouter. Il y avait celle dont le mari était au Venezuela et qui, depuis deux ans, ne recevait plus un sou, celles qui réclamaient des médicaments gratuits, l'admission du fils ou du mari à l'hôpital ou une subvention. Presque toutes voulaient pourtant la même chose : un appartement. Elles parlaient et criaient toutes ensemble.

Une femme s'avança, grande, maigre, les lèvres maquillées, une masse de cheveux noirs, frisés et gonflés.

– Ils ont construit quarante maisons populaires et les

ont laissées sans portes et sans fenêtres, sans eau ni électricité... Ils nous considèrent comme des bêtes...

Une autre braillait :

– Le ministre est venu et a fait un discours : dans trois mois, chaque famille aura un logement décent... On ne l'a jamais revu!

De la mêlée émergèrent les poings et le visage congestionné de la femme aux cheveux frisés :

– Savez-vous pourquoi on ne nous les a pas donnés? Ils attendent les élections pour ne les accorder qu'à ceux qui voteront pour eux!

Une terrible clameur s'éleva. Elena tentait de parler mais personne ne l'entendait. Finalement quelqu'un apporta une chaise et elle monta dessus :

– J'irai voir le maire, ceux qui ont droit à un logement l'auront...

Elles applaudissaient en hurlant et ce fut un miracle qu'Elena ne tombe pas. Elles l'accompagnèrent toutes ensemble : une foule de femmes et d'enfants dans un grand tourbillon de poussière...

A quatre heures de l'après-midi, un carabinier vint chez elle pour la prier de se rendre immédiatement à la mairie où de nombreux citoyens étaient convoqués. Son sourire un peu effrayé laissait prévoir des événements dramatiques :

– Ils y sont tous... La moitié du pays!

Elena pensa qu'il s'agissait d'une invitation à une cérémonie officielle, ou bien d'une protestation contre ce colonel qui avait insulté les gentilshommes de la région... Pourquoi le carabinier était-il si ému? Un quart d'heure plus tard Elena se présenta à la mairie et le planton courut à sa rencontre pour la mener jusqu'à la salle du conseil.

A peine ouvrit-il la porte qu'elle se retrouva face à une impressionnante assemblée d'hommes en colère. Dès qu'elle apparut, le silence se fit et tout le monde se mit debout. Personne ne manquait à l'appel : le maire Liolà, le docteur Sanguedolce, le chanoine Leone, le directeur

Battaglia, l'adjoint du maire Crucillà, le second adjoint Tuttobene et au moins une autre cinquantaine de personnes : conseillers municipaux, employés, agriculteurs, instituteurs, avaient répondu présent. Même le journaliste Agostino était là.

Elena leva timidement la main.

– Bonsoir!

Alors tous se mirent à applaudir et Elena, rouge d'émotion, passa entre deux rangées d'acclamations. Le maire l'escorta vers l'estrade et la pria de s'asseoir à sa droite. Tout le monde prit place. Elena n'avait encore rien compris. Le maire se leva, boutonna nerveusement sa veste et se passa une main dans les cheveux.

– Amis, permettez-moi avant tout de vous adresser mon salut personnel et aussi celui de la municipalité que je représente. Nous sommes aujourd'hui réunis pour décider ce qui, après des décennies d'obscurantisme, devra changer la face de ce pays.

Il fit une pause.

– Un pays avec des siècles d'histoire glorieuse et tragique, un pays que nous aimons à la mesure des injustices qu'il a subies.

Elena ne comprenait toujours pas mais cherchait à le dissimuler en essayant de paraître le plus attentive possible et se tenait bien droite entre le docteur Sanguedolce et le maire qui se tourna deux ou trois fois vers elle en lui adressant des sourires complices. Le discours se poursuivit.

– Nous avons donc décidé de créer un comité civique afin de cerner les plus graves problèmes et d'en préparer les solutions... Un comité qui, réunissant les personnalités éminentes, créera enfin une volonté politique tenace.

Il souleva un grand dossier qui se trouvait devant lui.

– J'ai ici le condensé de notre drame, la liste des œuvres que nous avons demandé à nos dirigeants de réaliser, les pétitions, les délibérations du conseil... Cha-

que ligne correspond à un espoir déçu de cette population.
Du dossier qu'il jeta sur la table s'éleva un léger nuage de poussière.

– Mes amis, voilà la preuve d'un abandon séculaire. D'abord le fascisme, puis la démocratie. Accordez-moi, citoyens, cette amère déduction... Fascisme et démocratie ont montré la même triste indifférence à nos trop vieux problèmes!

Au fond de la salle, l'adjoint Crucillà bondit en criant :

– Nous n'avons jamais eu de poids politique!

D'autres l'imitèrent en agitant des poings.

– On nous a exploités et offensés!

– Et ils nous ont quand même fait payer les taxes!

– Tant pis pour nous si nous ne nous sommes pas révoltés...

– A présent ça suffit, ça suffit!

Parmi les clameurs il y eut une tentative d'applaudissements qui s'étouffa immédiatement à la voix tonitruante du maire.

– Ceci est aujourd'hui notre mot d'ordre : à présent ça suffit! A l'avenir, nous ne laisserons parler que les faits, les travaux que nous invoquons depuis des années et qui, désormais, sont devenus indispensables à notre vie. Permettez-moi de mentionner les plus importants : la grande route communale...

Tout le monde approuva.

– Un tout-à-l'égout... Mes amis, il existe ici des êtres humains qui vivent comme des bêtes!

Le maire se passa à nouveau la main dans les cheveux et eut un trémolo dans la voix.

– Un aqueduc pour amener de l'eau dans tout le pays. Un hôpital, une école spécialisée pour enfants handicapés... Citoyens, j'ai le devoir de vous rappeler le triste spectacle dans les rues de ces dizaines d'enfants atteints de paralysie infantile, de déficience mentale due principalement à la méningite, de déformations physiques et psychiques irrécupérables.

Il eut un éclat de voix pour traduire son incapacité à résister à l'émotion.

– Chers amis, comment l'autorité publique peut-elle ignorer une telle tragédie, une telle insulte, une telle offense à la dignité humaine?

Cette fois, les applaudissements lui répondirent. Ils semblaient vraiment tous concernés et frappaient dans leurs mains avec force. Elena aussi. Le maire la remercia par un sourire, garda le front baissé quelques instants, puis posa sa main sur le dossier.

– Voilà, la totalité de nos problèmes se trouve dans ces documents : les requêtes, les projets patiemment élaborés. Rien ne manque : le nouveau bâtiment de l'école élémentaire...

On entendit la voix du directeur Battaglia qui fit un geste tranchant :

– Bravo!

– ... et cinq nouvelles fontaines, la remise en état des routes, un terrain de football, un petit musée pour rassembler notre mémoire historique...

L'adjoint Crucillà rappela :

– Le jardin public au quartier Fiumara...

– Ça aussi, ça aussi... Nous rêvons qu'un jour, à la place de cet ignoble quartier, puisse s'étendre un splendide jardin regorgeant de plantes, une grande terrasse fleurie dans la vallée... Tous les projets que j'ai mentionnés ont été remis aux autorités et concentrés en une loi spéciale qui devrait donner le jour à la résurrection de notre pays.

Sa voix trembla encore :

– Ça fait six ans que cette loi a été présentée au Parlement!

Il écarta les bras dans un cri :

– Et ça fait six ans, six ans que nous attendons... Six ans qu'on nous refuse le droit à la vie!

Une assemblée débordante d'enthousiasme se leva et Elena serra les mains du maire en tentant de dire quelque chose :

– Bravo, mes compliments, vous avez vraiment dit...

Les applaudissements se turent et quand elle s'aperçut

que tout le monde la regardait en silence, elle sentit sa voix mourir dans sa gorge. Le maire réajusta rapidement sa veste et s'inclina devant elle. « Que diable disait-il à présent? »

– Cette municipalité que je m'honore de représenter me charge de demander votre collaboration...

Il avait probablement sauté une phrase du discours pourtant préparé car il se montra un peu confus :

– Votre culture, mademoiselle Vizzini, votre sens profond de la justice, votre émouvant intérêt pour les enfants et les défavorisés, nous ont unanimement poussés à voir en vous la digne prétendante à la présidence de ce comité.

Elena l'écoutait avec un sourire hébété, elle n'arrivait pas à relier les idées entre elles; ne voyait que la grosse figure essoufflée et radieuse du maire, elle devinait les regards fixés sur elle sans comprendre le sens des mots qui s'égrenaient. Mais ses pensées devinrent subitement limpides, c'était comme si les choses étaient jusqu'à présent restées derrière une vitre embuée et que quelqu'un l'avait maintenant nettoyée. Les événements étaient là, nets et ordonnés : le juge lui offrant courtoisement un café, le salut dévoué des gens dans la rue, le regard apeuré de Michele, le directeur Battaglia lui demandant de le faire muter à Palerme, les applaudissements à son entrée dans la salle. Tout devenait clair : « Ils sont convaincus que j'ai donné l'ordre de faire tuer ces trois hommes... et cette idée folle est en train de se répandre partout... Ils croient sincèrement en ma toute-puissance! »

Pendant ce temps le maire parlait toujours.

– Cette réunion des citoyens qui ont voulu prendre l'initiative de ce comité confirme leur fidélité et les espoirs qu'ils mettent en vous...

Elena laissa s'échapper d'une petite voix délicate, presque moqueuse :

– Merci, monsieur le maire, c'est pour moi un grand honneur... Je ne sais vraiment pas...

Un peu troublée par l'ovation, elle ouvrit grands ses

bras, ce qui provoqua une ruée vers elle. Il y avait de vieux paysans qu'elle n'avait jamais vus, le journaliste Agostino et ses yeux tournoyants, le docteur Sanguedolce qui avait l'air heureux, au moins une vingtaine de collègues... Une seule pensée l'irrita : « Tout le monde est là, sauf Michele Belcore! D'ailleurs, qu'est-ce que ce con peut bien en avoir à foutre! Il n'est peut-être pas encore remis de sa folle nuit d'amour et dort comme un loir... »

Ils sortirent de la mairie à huit heures du soir. La petite foule euphorique se dissipa le long de la grand-rue vers la place, au milieu des éclats de voix. Il faisait froid et il y avait du vent. Elena refusa qu'on la raccompagne et se mit à courir vers sa petite rue déserte. Son étrange excitation lui procurait une sorte de bonheur. Elle pensait : « Mais quel pays de fous! Quand j'ai entendu pour la première fois parler de Montenero Valdemone j'ai cru que ça se trouvait sous terre et que je m'y ennuierais à mourir alors que ça n'en finit pas de bouger... On découvre des gens assassinés sans raison apparente, je rencontre un homme qui fait l'amour comme un loup, et maintenant une révolution éclate... Je ne me suis jamais sentie aussi vivante! »

Arrivée à vingt mètres de sa maison, elle sentit ses jambes trembler violemment. Tout au fond de la ruelle, sous la lumière incertaine de l'unique réverbère, il y avait cette espèce de petit homme tapi près du mur. Parfaitement immobile, il suscitait un dégoût d'autant plus violent qu'il ressemblait à ces reptiles que l'on croit morts mais cependant conservent une palpitation répugnante qui montre qu'ils sont bien vivants et prêts à piquer.

La frayeur la bouleversa et la poussa à un geste irréfléchi : elle s'élança vers cet homme pour enfin le voir de près. L'ombre se détacha du mur et prit la fuite. Elena s'arrêta à bout de souffle et l'ombre aussi s'arrêta : ils restèrent cloués à dix mètres de distance. Elena sentit s'éteindre cette bouffée de courage et se précipita vers la porte d'entrée.

Elle ouvrit d'un coup d'épaule, referma, monta l'escalier, tira le verrou et mordit sa main pour ne pas crier. Elle s'agenouilla prudemment derrière le sombre balcon et scruta la rue : déserte! Elle retint sa respiration pour mieux guetter le moindre bruit. Son cœur battait dans son cerveau. Elena tenta de se rassurer en se rappelant que la porte était verrouillée et que la fenêtre était trop haute pour que quelqu'un puisse l'escalader. Elle ne devait pas avoir peur, absolument pas.

L'angoisse était pourtant la plus forte. Peut-être pour la première fois comprit-elle avec netteté qu'elle était seule contre une force inconnue et cruelle qui l'encerclait, une sorte de violence ignorée qui rôdait dans le but de tuer. Elle avait cru être étrangère à ce jeu tragique et pensait n'avoir été touchée que par erreur ou fatalité, mais à présent il lui parut clair qu'elle se trouvait au centre de cette chose mortelle. Cette chose : elle ne pouvait pas la définir autrement...

Elle se pencha pour mieux voir toute la longueur de la rue et eut la certitude que cet homme était revenu : un bruit indéfinissable, des pas imperceptibles, un frôlement d'un corps contre le mur. Elle finit par distinguer une silhouette adossée à la porte d'en face qui la regardait fixement. Elena eut la folle tentation de hurler, d'appeler à l'aide. Une idée traversa tout à coup son esprit : « Si j'avais une arme, je pourrais le tuer! »

Quelques secondes passèrent, puis l'ombre sortit de l'obscurité et traversa silencieusement la rue. Elena vit parfaitement un petit homme avec une écharpe sur le nez. Il s'arrêta au milieu de la chaussée en la fixant avec insistance. Elle eut l'impression qu'il faisait un signe étrange et, brusquement, disparut. On n'entendit plus rien. Elle resta plus d'une demi-heure accroupie derrière le balcon. « Michele va venir, maintenant Michele va venir... »

Elle ne parvenait pas à avoir d'autre pensée ni d'autre désir. « Michele dormira dans mon lit, je me blottirai contre lui et je me sentirai en sécurité. Je veux qu'il reste chaque nuit avec moi... Je t'aime Michele, oh je t'aime, je t'aime... »

Toujours sans allumer, elle alla s'envelopper dans une couverture et retourna se poster au même endroit. Elle attendit en vain jusqu'à une heure du matin, puis elle décida de se mettre au lit enroulée dans la couverture, et s'endormit en le haïssant.

5

La matinée s'écoula rapidement. Pendant la récréation, Michele vint dans la classe d'Elena pour lui expliquer que sa mère avait eu une autre crise cardiaque et qu'elle s'était sentie très mal. Il avait dû la veiller toute la nuit. Elena répondit d'abord par monosyllabes, mais se laissa peu à peu attendrir car Michele semblait vraiment angoissé, et ses paupières étaient probablement rougies de larmes. Elle caressa ses cheveux et déposa un baiser sur ses lèvres. A ce geste Michele eut un sourire inquiet.

– Attention, un enfant peut entrer...

– Laisse-le donc entrer!

Elle lui retira les lunettes, l'empoigna par les cheveux et fourra la langue entre ses lèvres en se serrant tout contre lui. Lorsqu'ils se détachèrent Michele semblait effrayé, alors, dans un geste maternel, Elena lui remit délicatement les lunettes.

– Tu ne peux toujours pas venir cette nuit?

– Je ne sais pas... peut-être! Toi, attends-moi!

Peu après midi, la mairie connut sa première réunion mouvementée. Plus de deux cents personnes étaient là et les discours se succédèrent dans une atmosphère de passion désordonnée. La totalité des projets inclus dans cette loi spéciale, routes, maisons populaires, aqueduc, égouts, école, hôpital, fut classée en autant de dossiers complétés d'informations techniques, lettres et correspondances avec les bureaux du gouvernement. La fin de la réunion souffrit d'une grotesque interruption : la grande porte de la salle s'ouvrit, et le professeur Spadafora fit irruption en criant :

– Encore un complot, un nouveau complot pour tromper le peuple... Pourquoi ne distribuez-vous pas tout simplement les terres aux paysans?

Les carabiniers de service tentèrent de le mettre gentiment dehors mais le professeur réussit à avancer en renversant quelques chaises. Il alternait cris et rires moqueurs en pointant son doigt sur chacun.

– Quelle autre mystification êtes-vous en train d'organiser? Parlez, illustrissime maire, si vous en avez le courage! Une autre escroquerie!

Il renversa d'autres chaises, échappa deux fois aux carabiniers puis il trébucha et on dut l'aider à se relever. Beaucoup riaient, le docteur Sanguedolce applaudissait comme si tout cela l'amusait énormément, d'autres s'écriaient :

– Bouffon, chassez-le... Attention, il est fou!

Les carabiniers réussirent enfin à l'attraper par la veste, ses lunettes tombèrent, quelqu'un les lui rendit et le professeur se laissa docilement emmener. Sa veste était de travers, ses cheveux décoiffés, et un sourire railleur lui collait aux lèvres pendant qu'il citait des chiffres à voix haute :

– Trois mille émigrés... Deux cents enfants morts du typhus et soixante atteints de méningite... Soixante pour cent d'analphabètes...

Avant de sortir il réussit à se retourner un instant et s'adressa directement à Elena :

– Félicitations, mademoiselle! Bravo! Bravo!

Une fois la porte refermée et verrouillée, le maire lut l'ordre du jour qui fut approuvé par acclamation. On décida d'envoyer une délégation conduite par l'adjoint Tuttobene à Palerme pour inviter le sous-secrétaire

Cataudella à une grande assemblée populaire dans laquelle tous les corps de métier seraient les bienvenus, y compris les ouvriers et les paysans parce que le peuple avait lui aussi son mot à dire et le droit de savoir ce qui se passait. Les femmes d'émigrés seraient également invitées. Des cris de colère et d'enthousiasme jaillirent.

– Ça fait dix ans qu'on vote pour le sénateur Cataudella...

– Il doit venir nous en rendre compte...

– Tout le pays votera à bulletin blanc.

– La supercherie doit finir!

Il y eut un énorme applaudissement final, le maire était pâle d'émotion et resta sans voix après avoir hurlé :

– Nous ne nous laisserons plus bluffer par personne! Personne...

Dans ce tumulte, beaucoup avaient levé les bras. Le plus exalté semblait être le petit adjoint Crucillà; le docteur Sanguedolce riait, heureux, en agitant son chapeau. Les travailleurs et les chômeurs étaient réunis pêle-mêle dans la foule et voulaient unanimement serrer la main d'Elena. Pour la deuxième fois, elle sentit l'émotion l'envahir. Qui sait pourquoi elle revit tout à coup le petit Sebastiano couché dans ce lit dégoûtant et tout ce qui l'entourait, le père se comportant comme s'il était déjà un cadavre, la mère qui pleurait constamment en cognant le bébé contre sa poitrine, l'insupportable odeur de cette pièce... Elle se rappela les regards furieux des femmes qui l'avaient assiégée sur le sentier boueux et pensa que tout avait peut-être commencé ce jour-là.

Il fut aussi décidé, sans nul besoin d'un vote, d'attribuer à vingt familles pauvres, tirées au sort, les maisons populaires construites depuis six ans mais restées inachevées : sans portes, sans fenêtres, sans toiture et sans installations sanitaires. Cette décision prise en moins d'une minute provoqua un nouvel applaudissement général.

La journée se poursuivit rapidement. Au début de

l'après-midi, Elena rencontra l'avocat Bellocampo pour la troisième fois. Une simple promenade était prévue, puisque le vieillard avait promis de lui faire visiter sa campagne, et ce fut au contraire une aventure bouleversante. Ils partirent du palais dans une vieille voiture conduite par un homme nommé Nuccio, grand, mince et puissant, avec une petite tête impassible et des cheveux gris. En montant dans la voiture, Elena dit en plaisantant :

– Je croyais que vous aviez une grande voiture élégante! Au moins une Mercedes...

Le vieux Bellocampo se mit à rire.

– J'aimerais avoir une grande voiture noire et solennelle, mais ma famille est pauvre, désormais.

C'était la première fois qu'Elena le voyait en plein jour. Il lui apparut encore plus vieux, le visage aussi blanc que les cheveux. Elle remarqua aussi que le costume noir était usé au niveau des ourlets. Il se tenait assis droit près d'elle, sur la banquette arrière et souriait, cheveux au vent.

Ils quittèrent le village en remontant la dernière pente parsemée d'oliviers. La route devint étroite et poussiéreuse, bordée de quelques vieilles maisons rurales. Sur le sommet de la montagne s'ouvrit un plateau désert, sans mur, sans arbre, livré à la rudesse du vent et au soleil. Le vieillard fit un petit geste et un sourire.

– Vous voyez, cela aussi appartient à ma famille. Seulement des pierres!

– Tout le haut plateau est à vous?

– Non, bien sûr... c'est immense! Il y a au moins vingt propriétaires. Le domaine des Bellocampo s'étend sur une vingtaine d'hectares. Un désert dans le désert...

– Pourquoi ne pas y cultiver du blé? Je ne sais pas, des légumes, de l'orge...

Le vieux eut un sourire condescendant.

– On ne peut pas cultiver le blé sur les pierres! Ça ne pousse pas.

– Vous pourriez en faire une forêt! Planter des arbres...

– Nous avons essayé! Pendant des centaines d'années. Mais le vent d'hiver les déracine, les fait mourir.

– Alors un pré?

– Même l'herbe ne veut pas pousser! Comment ferait-on un pré? L'art du berger a désormais disparu de cette vallée.

– C'est donc seulement une terre abandonnée! Pourquoi dites-vous que cette terre est la vôtre?

– Parce que la terre ne s'abandonne jamais.

– Même quand elle ne vaut rien?

– Ici j'ai les pieds dessus et je dis : cette terre est mienne!

– Et à quoi ça sert?

– Ça sert!

Il émit un petit soupir souriant. Elena connaissait Bellocampo : il ne parlerait plus de cela. Elle lui demanda seulement :

– Comment s'appelle ce haut plateau?

– « Premier soleil »! C'est le point le plus haut de la vallée, le premier à être illuminé par l'aube!

– Un nom poétique! C'est déjà quelque chose...

Le haut plateau n'en finissait jamais. Sur des kilomètres et des kilomètres une étendue de pierre grise, pas une maison ou la moindre trace de vie. Seules les grandes ombres des nuages se déplaçaient au-dessus du paysage immobile. Puis la route commença à décliner, on avait l'impression qu'elle déboucherait d'un moment à l'autre sur un ravin. A un tournant le panorama se transforma soudain : une vallée dentelée et profonde, des forêts d'oliviers entrecoupées de vertigineux précipices et partout, sur les escarpements rocheux, une végétation sauvage. Au fur et à mesure que la route descendait, la vallée devenait toujours plus ample, une immense plage d'oliviers.

Ils dépassèrent une grille et l'avocat Bellocampo fit un simple geste : au fond de l'allée, presque retranchée sur une corniche, surgissait une étrange construction, grande et grise. D'abord une base carrée formée de hauts murs sans fenêtres, puis une énorme terrasse sur laquelle s'élevait une imposante maison qui se terminait par un lourd donjon de pierre. Cette bâtisse semblait avoir été construite pour résister aux tremblements de terre ou à un assaut. Seul un escalier extérieur très abrupt menait à l'entrée de la forteresse, et sur les murs se creusaient les formes rectangulaires des meurtrières.

Cent mètres plus loin se trouvait un autre édifice bas et du même gris, au toit de tuiles vertes, d'où sortirent quelques vieux paysans. Ils paraissaient tous heureux de la présence de l'avocat Bellocampo qui serra la main de chacun en les appelant par leur nom. Des femmes, dont deux étaient enceintes, suivirent accompagnées de plusieurs enfants. L'un d'eux ressemblait à un petit taureau, avec une figure rouge, des yeux très noirs et des cheveux frisés. Du bout de son bâton, l'avocat le toucha légèrement au pénis.

– Toi, qui es-tu?

– Lolicata Peppino!

– Et que fais-tu?

– Je garde les bêtes!

– C'est bien, Peppino!

Pendant qu'ils montaient lentement l'escalier, Bellocampo sourit à Elena.

– Ils s'appellent tous Lolicata. La famille habite ici depuis soixante-dix ans.

– Comment font-ils? Ils ne viennent jamais au village?

– Que viendraient-ils donc y faire?

– Les enfants devraient aller à l'école...

Le vieillard ne répondit pas. Arrivés sur la terrasse, il se reposa un instant en fermant les yeux et fit un ample geste.

– Voilà, c'est ma terre! Vingt hectares d'oliviers et de champs fertiles, un bois de caroubiers, et derrière la ferme se trouvent les étables avec une centaine de veaux. Dans la vallée coule une petite source et là-bas, il y a aussi un jardin potager.

Il soupira avec nostalgie.

– Il y a deux cents ans, cette vallée appartenait jusqu'à perte de vue à ma famille. Mais... les Bellocampo étaient trop prolifiques, à chaque génération la propriété se morcelait, se dispersait... Il n'est resté que ça.

L'avocat fit un signe et l'homme qui s'appelait Nuccio ouvrit le cadenas qui fermait la porte de la maison. Jusqu'ici il n'avait pas dit un mot, mais seulement obéi aux signes du vieux. Elena le regarda en pensant : « C'est une espèce de bête. Il pourrait pourtant faire tourner la tête d'une femme, je n'ai jamais vu un homme aussi beau ! »

En réalité, cet homme si mince et puissant faisait l'effet d'un mélange entre l'animal et la statue. Il pouvait avoir quarante ans, ses mains étaient magnifiquement musclées et chacun de ses gestes semblait évoquer la force physique d'un cheval. Cette impression de puissance venait aussi de la lenteur de ses mouvements et de sa petite tête rendue plus harmonieuse par une crinière de cheveux gris. C'était incroyable comme ce bel animal humain parvenait à exprimer autant de soumission à l'égard de Bellocampo. Elena demanda :

– Qui est ce Nuccio ?

– Lui aussi appartient à la famille Lolicata... Un paysan !

Dans toute la maison, il ne restait plus que quatre pièces meublées : une immense cuisine avec une cheminée, deux vieilles chambres à coucher aux matelas poussiéreux et un salon qui était la copie parfaite de la bibliothèque vue au palais Bellocampo du village. Ce salon était seulement plus petit et presque nu : des tentures de velours gris, un divan, un vieux piano noir, une petite table au centre de la pièce, deux fusils accrochés au mur et deux grandes photos encadrées, l'une représentant un prêtre chauve et l'autre un jeune homme en uniforme de marin. La ressemblance entre eux était impressionnante, le même visage ovale, les yeux sombres et la bouche fine. L'avocat Bellocampo indiqua à Elena le portrait du plus jeune.

– Mon fils Giulio, élève officier pendant la guerre. Trois mois après cette photo il mourut dans un sous-marin.

C'était la première fois que le vieil homme lui parlait de cet unique fils disparu, mais sa voix était sereine. Elena lui sourit.

– Il était très beau.

– C'est vrai, il était très beau.

Il parut un instant s'attendrir devant la photo et eut un sourire, un imperceptible signe de salut. Puis il montra le portrait du prêtre.

– Lui, c'était mon oncle, Angelo Bellocampo, le frère de mon père. Ce fut un prêtre exceptionnel, helléniste, théologien, instruit d'archéologie... Quand il mourut je n'étais même pas adolescent, mais j'en garde encore un fabuleux souvenir : grand, chauve, pâle, avec une voix si harmonieuse que de sa chaire il faisait pleurer les gens. Il restaura toutes les églises de la région et les enrichit de précieux trésors, fit construire un hospice et un orphelinat, le peuple l'adorait pour sa sagesse et sa piété. Il fut appelé à Palerme pour enseigner le latin à l'université. Lui aussi était très beau.

Bellocampo prit délicatement Elena par le bras.

– Maintenant suivez-moi.

Ils visitèrent le fond de la vallée cultivée en jardins d'orangers, l'élevage d'animaux, les écuries et le pressoir à raisin. Partout il y avait des chiens qui, à leur approche, aboyaient en essayant de briser leurs chaînes, jusqu'à ce que les paysans les fassent taire, en donnant de la voix et du bâton. A la ferme, les femmes offrirent de grands bols de fromage de chèvre chaud avec du pain noir et dur.

Elena et Bellocampo se reposèrent sur la grande terrasse, le temps de fumer une cigarette. Un léger crépuscule commença à tomber et les couleurs de la vallée devinrent plus profondes. L'avocat paraissait absorbé dans une espèce de tristesse sereine. Il prit tout à coup la main d'Elena et l'invita à se lever.

– Venez Elena, avant qu'il ne fasse sombre.

Ils sortirent par une petite porte arrière, traversèrent un bois d'oliviers en suivant un sentier qui descendait au fond de la vallée; et graduellement les arbres gigantesques de caroubiers prirent une épaisseur de forêt, plongés à leur tour dans une végétation dense et lourde. Ils arrivèrent devant un haut mur avec une petite porte en fer, et l'avocat Bellocampo sortit une petite clé avec laquelle il ouvrit lentement. Il fit un geste à Nuccio :

– Toi, attends ici.

Tous deux entrèrent prudemment dans cet enchevêtrement de ronces, plantes et lianes. Ils parcoururent ainsi une centaine de mètres et alors apparut un spectacle hallucinant : dans une clairière entourée d'arbres gisait un gigantesque avion, à demi enseveli entre les herbes, les pierres et les buissons. Le fuselage et les ailes étaient cassés, la tôle tordue, la carcasse presque coupée en deux et rongée par la rouille et les plantes, même les moteurs étaient arrachés, les hélices, les timons, l'empennage, réduits en une myriade de fragments épars dans la nature.

Elena fit quelques pas hésitants. Elle se tourna vers le vieux Bellocampo et le vit presque transfiguré, les yeux illuminés, en proie à une agitation fébrile. Il la dépassa en faisant un geste circulaire avec sa canne.

– Vous avez vu cette merveille? Pour son extraordinaire puissance, il était surnommé la forteresse volante. Il volait à neuf mille mètres et pouvait transporter dix hommes et cinq tonnes de bombes... Regardez-le maintenant, cette terreur du ciel, ce redoutable aigle de feu!

Avec une incroyable agilité, il balança un coup de canne sur une pale de l'hélice intérieure et rit. Il désigna le bois qui fermait la clairière.

– Regardez! Après tant d'années on aperçoit encore dans le fouillis des arbres la trace laissée par l'avion en touchant le sol. Au moins cent arbres, chênes, oliviers, caroubiers, littéralement déracinés en une seconde, un fossé profond de quatre mètres sur trois cents mètres de longueur... Arbres, pierres, lambeaux d'acier volèrent en éclats, la terre s'ouvrit pendant deux secondes, un tremblement de terre et enfin l'explosion...

Sa respiration s'était progressivement alourdie, ses yeux s'étaient creusés, mais la voix devenait plus forte.

– Il est resté intact, tel qu'il était alors, chaque chose est à l'endroit exact où elle est tombée. Personne n'a rien touché... Les herbes ont poussé un peu partout, beaucoup d'animaux y ont fait leur nid, taupes, couleuvres, lapins, des milliers d'oiseaux. Venez, mademoiselle Vizzini... N'ayez pas peur, où que vous cherchiez, vous ne trouverez jamais rien de pareil... Regardez cette tour avec les mitrailleuses encore intactes... Regardez ici : sur la tôle on voit encore l'étoile bleue.

Une sorte de frénésie l'envahissait; il marchait inlassablement à petits pas rapides, donnait une multitude de coups de canne çà et là sur les objets pour en préciser la nature et l'usage, changeait d'expression selon ce qu'il disait, passant de l'émotion à la colère, la peur ou la joie, mais laissait toujours flotter un sourire triomphal sur ses lèvres.

Il bougeait sans cesse et racontait :

– C'était au mois de juin, je ne pourrai jamais l'oublier, je m'en souviens comme si ça venait de se passer. Chaque soir, au coucher du soleil, nous apercevions depuis un mois les avions américains voler très haut vers Palerme. Ce soir-là il pouvait être sept heures, le quadrimoteur pointa droit sur les montagnes, suivi par deux avions bleu ciel minuscules et très rapides. Ils étaient si bas que le vacarme ressembla à celui d'un éboulement. D'abord le quadrimoteur piqua sur le village puis se dirigea tout à coup vers la vallée, toujours suivi des deux petits avions bleus. On distinguait le rayonnement enflammé des projectiles... Moi j'étais sur la colline de la maison et je me mis à crier : tuez-les, tuez-les!

Elena, fascinée, regardait ce vieillard défiguré par la haine qui revivait la scène à grands gestes, et il se recroquevilla un instant comme si une chose immense, venue du ciel, allait lui tomber dessus.

– Le quadrimoteur s'abaissa encore. Il donnait l'impression d'avoir culbuté dans un trou, mais il continuait de voler, il était si près que je voyais la couleur des ailes, le reflet des vitres... Le hurlement des moteurs augmenta brutalement... J'entendis, mademoiselle, un cri de désespoir, un cri humain qui faisait trembler l'air; et au même moment les ailes commencèrent à frôler les arbres, l'avion alla s'écraser et ne bougea plus, et moi je continuais de crier : « Tuez-les, tuez-les! » Je voulais que les hommes de cette forteresse volante meurent sous mes yeux... Ils moururent ainsi, en deux secondes : un grondement, un tourbillon de feu et de poussière. Les deux petits avions bleus passèrent à basse altitude comme des éclairs, ils tournèrent brutalement, repassèrent et disparurent. Alors je me mis à dévaler la colline. Des paysans armés de fusils accouraient des champs mais n'osaient pas s'approcher par crainte que les bombes n'explosent. Moi, au contraire, j'y allai, je voulais les voir... Je m'accrochai aux morceaux de tôle, je pénétrai dans la carlingue et je les vis, tous morts, écrasés, ensanglantés...

Il resta quelques secondes sans souffle, les yeux dans le vide.

– Le lendemain à l'aube, des patrouilles de soldats ayant cherché la carcasse de l'avion toute la nuit, passèrent le long des sentiers, mais je leur dis qu'il avait survolé les collines et s'était perdu dans l'autre vallée. Les soldats étaient épuisés, ils se moquaient bien du quadrimoteur, ils s'étendirent sous les arbres jusqu'à midi et puis s'en allèrent. Depuis, personne n'a plus touché à rien. C'étaient les deux derniers jours de guerre... Le lendemain il y eut le débarquement des troupes alliées à Sciacca, les soldats américains arrivèrent au pays une semaine plus tard, mais aucun d'eux n'atteignit jamais cette montagne. Je fis construire un mur autour de l'avion afin que personne ne puisse le voir. Il est resté exactement dans l'état où il était au moment de s'écraser ici. Je voulais empêcher qu'on emporte le moindre fragment, un débris, qu'on ose toucher à ces corps... Donnez-moi la main, venez!

Il la guida doucement jusqu'à la base de l'aile où le gigantesque fuselage s'était coupé en deux. Par cette déchirure, ils entrèrent prudemment à l'intérieur de l'avion, à travers un enchevêtrement de tôles, jusqu'à ce qui avait été la grande cabine de pilotage. Elena tremblait. Elle s'agrippa au bras du vieillard et se pencha un peu pour regarder ces restes humains. La terrible violence du choc avait projeté tous les hommes dans la partie antérieure de la carlingue, tous en un horrible tas étrange, informe. La décomposition des corps et des vêtements, la pluie, le soleil, les insectes, l'herbe sauvage, la poussière avaient rendu cet amas encore plus méconnaissable, comme un bizarre enchevêtrement de racines. Seules deux têtes émergeaient avec quelques membres décharnés. L'une d'elles avait encore son casque de cuir et de grosses lunettes qui laissaient imaginer les yeux restés intacts. Malgré le choc, les corps brisés et la lente décomposition, l'autre tête, brune avec des cheveux noirs, avait gardé des traits délicats encore parfaitement visibles.

Elena faillit vomir de dégoût. Elle sortit lentement de l'avion et dit tout bas au vieillard, sans le regarder.

– N'avez-vous jamais cherché à savoir qui étaient ces hommes?

– Non, jamais, pourquoi aurais-je dû?

– Peut-être avaient-ils des pièces d'identité, des adresses... Leurs familles ont dû s'inquiéter, s'angoisser...

– Maintenant ils sont morts! Les familles se sont résignées. C'est comme si la mer les avait engloutis! Quelle différence y a-t-il?

Elena le fixa en silence.

– Pourquoi avez-vous fait ça?

Le vieil homme baissa la tête. Sa triomphale férocité semblait avoir disparu. Il avança lentement au milieu de l'herbe haute et rejoignit la proue de l'avion; là, il montra à Elena quelque chose qu'elle n'avait pas vu : une croix de fer sur laquelle était encastrée une photo de son fils en uniforme de marin.

– J'ai fait en sorte que ça s'arrête là. Je me dis que cet avion est justement venu tomber ici pour payer ma souffrance.

– Un sacrifice humain!

Cette fois encore le vieillard ne répondit pas. Il retourna lentement vers la petite porte métallique et dut s'aider péniblement de sa canne pour se frayer un passage dans ce fouillis de plantes. Toute sa force s'était soudain évaporée. Ils retraversèrent le bois sans se dire un mot, jusqu'à la maison.

Dans l'esprit d'Elena, l'horreur s'était changée en une espèce d'émerveillement, elle n'arrivait pas à donner un sens, une dimension exacte à ce qui se passait. « Je me trouve dans un endroit peuplé d'abrutis, presque tous vivent assis devant leur porte, la casquette enfoncée sur la tête, regardant pendant des années les mêmes choses, écoutant les mêmes paroles et ressassant peut-être les mêmes pensées, c'est-à-dire qu'ils vivent et meurent sans motivation apparente, comme un légume ou un brin d'herbe... Mais parmi eux il y a aussi ce vieux qui possède une forteresse volante avec cet équipage fantomatique, en état de décomposition.

Les fermières avaient installé deux grandes chaises empaillées sur la terrasse et une petite table sur laquelle étaient disposées deux tasses et du café chaud. Elena et Bellocampo s'installèrent face à la vallée, burent le café et allumèrent une cigarette. Le crépuscule s'était encore intensifié et une grande ombre montait de la campagne. Le vieillard, droit sur son siège, le regard perdu dans le lointain, immobile et silencieux, semblait s'être assoupi. Mais un vague sourire flottait sur ses lèvres. Soudain, il dit :

– J'ai su que vous vous battiez pour mon pays.

– Je me bats pour les pauvres, maître Bellocampo... Pour les malheureux! Le pays ne m'intéresse pas. Je fais ce que chaque personne honnête devrait faire.

Le défi était parfaitement clair mais le vieil homme continua à sourire sans la regarder.

– Et à quoi peut-on reconnaître les malheureux? Pauvreté et malheur sont souvent deux choses différentes.

– Disons alors ceux qui sont malheureux de pauvreté.

– C'est tout?

– Malheureux d'ignorance, d'injustice...

– Et comment les reconnaissez-vous ici?

– Ils habitent presque tous le quartier Fiumara, vous le savez certainement.

L'avocat Bellocampo eut une réponse qui laissa Elena sans voix.

– Je ne suis pas allé au quartier Fiumara depuis plus de trente ans. Sans raison précise! Je sais que rien n'a changé! Il y a trente ans, ils vivaient au milieu de la boue et continueront à vivre ainsi.

– Exactement! Ils vivent au milieu des chiens, des rats, des mouches, des charognes putréfiées, des ordures, dans des maisons sans carrelage, ni eau courante, ni toilettes. Des centaines d'enfants vivent dans la merde!

Ce dernier mot le fit imperceptiblement tressaillir, il eut toutefois une expression approbative.

– Vous voyez? Exactement comme il y a trente ans... Cent ans... Rien n'a changé, rien ne changera jamais...

L'espace d'une seconde, Elena eut la tentation de le gifler, mais chaque détail de ce vieillard, même son incroyable cruauté, la séduisait. Il but une petite gorgée de café et, avec un mouchoir qu'il sortit de sa poche, essuya délicatement la goutte qui était tombée sur la table.

– Mademoiselle Vizzini, je comprends votre civisme, j'admire votre noble pitié, mais le fait est que vous ne connaissez pas ces gens, vous ne pouvez donc pas savoir... Ils vivent selon leur nature... Si vous étiez née et aviez vécu ici, vous en seriez convaincue... je les connais depuis toujours... Si je passais par le quartier Fiumara je pourrais frapper à chaque porte avec ma canne et les désigner par leur nom, un à un, expliquer quelle est leur vocation...

– Je ne comprends pas...

La voix d'Elena était peut-être trop dure et celle du vieillard devint en fait immédiatement tranchante.

– Vous ne voulez pas comprendre, mademoiselle Vizzini! Ma famille a défendu cette terre pendant des centaines d'années, elle y a construit des fermes, des écuries, planté des oliviers, bâti des murs, creusé des puits. Je lutte depuis cinquante ans pour préserver cette terre que tous abandonnent, qui ne vaut plus rien... Et eux, qu'ont-ils fait? Du jour où je les ai connus ils n'ont jamais changé, le seul but de leur existence a toujours été celui de voler sur le travail et son produit, le froment, les olives, les bêtes. Se terrer dans leurs maisons sans rien faire, laisser mourir la campagne, implorer l'aumône d'une subvention...

Il croisa ses petites mains sur sa canne en fermant les yeux comme pour mieux concentrer sa rancœur.

– Mais ce n'est pas seulement ça. Je veux dire l'avidité, l'inertie, l'habitude de vivre en sauvage. Ils sont misérables parce qu'ils sont aussi déloyaux, menteurs et lâches...

– Maître Bellocampo, comment pouvez-vous haïr à ce point ces malheureux? Comment est-ce possible?

– Les haïr?

Le vieil homme garda le silence, les yeux éteints sur le vide.

– Vous auriez dû connaître mon fils Giulio. Il avait vingt-deux ans lorsqu'il mourut... A peine sorti de l'école d'officiers, il fut tout de suite embarqué dans un sous-marin. L'officier de marine Giulio Bellocampo, âgé de vingt-deux ans, mon fils!

Elena ne comprenait pas le sens de ce discours, le rapport qu'il pouvait avoir avec les pauvres du quartier Fiumara. Tout à coup, le vieillard se mit à pleurer, ses paupières rougirent et des larmes coulèrent le long du nez jusqu'à sa bouche.

– Seulement vingt-deux ans! Essayez de comprendre, mademoiselle, c'était mon fils unique... Il commençait à peine à découvrir la vie et au contraire, toutes ses idées, ses espoirs, tout ce qu'il aurait pu faire, les plaisirs qu'il aurait pu éprouver avec les femmes, disparurent avec lui à un endroit précis de l'océan que je ne connaîtrai jamais! 12 janvier 1943...

Il écarquilla les yeux et les immobilisa un instant pour retenir ses larmes. Sa tête tremblait dans l'effort.

– Patience, me dis-je, en temps de guerre quelqu'un doit forcément mourir, sinon l'ennemi pénètre dans nos logis et nous massacre tous. J'ai longtemps pensé à me suicider en me jetant par la fenêtre ou en me tirant une balle dans la tête. La patrie est une chose, un jeune homme peut mourir pour la défendre, mais un pauvre père a aussi le droit de se tuer à cause de ça. Comment résister à la pensée d'un fils qui, avant de se noyer, continue de se débattre pendant une heure, une journée entière, peut-être est-il en train de vous appeler à son secours et vous ne pouvez rien pour lui parce que vous ne savez même pas où il se trouve exactement... Mon enfant mourut ainsi, mademoiselle, et pendant des jours, des semaines, des mois, j'ai voulu me tuer, et pour m'en empêcher je me répétais obstinément qu'il n'avait pas souffert ni ressenti aucune peur, qu'il avait eu une belle mort parce qu'il est juste de savoir mourir pour sa patrie...

Il fit un sourire si absurde qu'Elena en eut un frisson.

– Vingt-deux ans... Le seul fils que j'avais, un garçon noble et courageux... Et puis je vis les gens acclamer les chars américains qui entraient au pays. Ils ouvraient portes et fenêtres et sortaient des drapeaux en poussant des cris de joie, mendiaient des cigarettes en applaudissant les soldats noirs. Et eux riaient, heureux, en se disant : voilà les Italiens, regardez ces moutons qui nous font la fête! Moi, je voyais le spectacle en imaginant le corps de mon fils descendre toujours plus au fond de l'eau, toujours plus loin!

Il projeta son poing en l'air en poussant un cri si

terrible et désespéré qu'Elena eut peur. Mais il ferma soudain les yeux, s'appuya des deux mains sur la canne et son agitation disparut lentement.

– Le jour de l'armistice, toutes les cloches du pays se mirent à sonner, une foule de paysans envahit la place; ils venaient presque tous du quartier Fiumara et semblaient devenus fous.

Cette fois il ne put se dominer. La colère lui monta au visage en faisant ressortir les veines de son front et les yeux de leur orbite.

– Ils se sont précipités à la cathédrale, ont largement ouvert la grande porte, cassé à coups de pierres la vitre tombale de mon frère et traîné son pauvre corps au milieu de la place... On aurait dit qu'ils n'avaient pensé qu'à ça depuis des années... qu'ils n'avaient subi aucune autre humiliation et que celle-ci était leur libération...

Il s'interrompit un instant parce qu'Elena lui avait tendrement pris la main pour l'apaiser; il parut se réveiller et puis se résigna. A cette seconde Elena vit le regard de Nuccio et s'en effraya : les yeux apeurés et féroces d'un animal qui voit son maître en danger. Mais le vieil homme sourit en faisant un geste avec sa canne.

– Les paysans ont allumé les lampes. Il vaut mieux nous en aller! Il fait déjà nuit...

6

Cette même nuit Michele ne resta qu'une heure : il expliqua qu'il devait s'éveiller avant l'aube pour corriger des cahiers. Ils se dirent une vingtaine de mots et sans même avoir pris le temps de se déshabiller entièrement, s'enlacèrent sans interruption. Il y eut un moment où Michele, épuisé, s'immobilisa en elle, mais Elena continuait à l'exciter, avec ses jambes, son ventre, elle souleva son corps en le traînant presque sur le lit.

– Pauvre Michele, tu es fatigué ce soir.

– Folle, folle.

– Tu vieillis.

– Demain, toute la nuit, tu verras!

– Peut-être que tu ne m'aimes plus.

– Folle, folle.

Elena sentit tout le corps de Michele s'arquer comme s'il essayait de concentrer sa force dans son membre. Elle le suivit dans ses mouvements, l'appela, le caressa. Ce défi semblait rendre Michele fou de désir : le plaisir qu'il n'arrivait pas à atteindre se transformait en violence; il ne s'arrêta même pas lorsqu'Elena tomba affaiblie et tremblante. Il la souleva avec ses mains pour qu'elle ne puisse pas lui échapper et continua à s'enfoncer toujours plus profondément, jusqu'à ce qu'elle bascule elle aussi du côté du plaisir.

Dans toute cette agitation, cette farandole de faits et de personnages, Elena comptabilisait trois assassinats sans mobile, un village au bord de la révolution, un amant timide et triste qui l'aimait comme un taureau... Dans ce tourbillon, au milieu duquel elle se sentait à la fois effrayée et heureuse, arriva à l'improviste la dernière personne qu'elle s'attendait à rencontrer. Il était sept heures et Elena, encore occupée à sa toilette, entendit frapper deux coups péremptoires. Elle ouvrit la porte et se trouva face à sa mère. Ses yeux étaient juste un peu rougis de sommeil et son petit chapeau poussiéreux, quant au reste elle était parfaite : le manteau noir, les fines chaussures de chevreau, la chaîne avec sa breloque, les gants et la canne au pommeau d'argent. Elle dit simplement : « Bonjour », comme si sa présence fut inévitablement prévue. Elle se fit embrasser sur les deux joues, laissa Elena lui retirer son manteau et vérifia qu'il soit disposé sans un pli sur le lit, puis elle fit quelques pas dans la chambre, déplaça les rideaux avec sa canne, ouvrit l'armoire et la referma, poussa deux chaises et piqua une petite colère à cause du cendrier plein de mégots.

Elena, assise au bord du lit, prit un air ravi et lui adressa le sourire le plus flatteur possible.

– Comment va tante Agatina?

– Et comment veux-tu qu'aille cette balourde? Elle mange, dort et égrène son chapelet. Elle fait aussi des pets si longs qu'on a l'impression de l'entendre parler. Ton père aussi, tu sais? Le brigadier moustachu... il pétait de la même façon... Après il faisait même un soupir satisfait... « Pardon! » disait-il. J'ai dit à la balourde : « Au moins demande pardon! » Elle a répondu : « Pourquoi, ce sont des choses de Dieu! Rien que de la santé! »

Avec mille petits gestes, elle avait arrangé ses très beaux cheveux blancs, son col de dentelle, sa chaîne en argent.

– Bon, voyons comment est ce village!

– Maman, tu dois être fatiguée. Pour l'instant reposetoi et cet après-midi nous sortirons ensemble. En attendant ouvrons cette valise et voyons ce que tu m'as apporté.

La vieille s'installa dans le fauteuil et observa sa fille qui avait ouvert la valise et rangeait ses affaires dans l'armoire. Il y avait un gâteau au chocolat, au moins deux mètres de saucisse, une grande boîte de ces merveilleux biscuits fait à Catania par les sœurs du couvent, et un gigantesque saucisson qu'Elena renifla avec gourmandise. Sa mère sourit, heureuse.

– Maintenant parle-moi un peu de toi! Ta lettre était magnifique mais moi je sais que tu as l'art de transformer les choses. Du peu que j'aie pu voir, les gens ont l'air polis mais ils sont sales, ils doivent être ignorants. Dans l'autobus je n'ai pas compris un seul mot de ce qu'ils disaient. Un langage de zoulous! On dirait qu'ils parlent avec le ventre! Mais dis-moi, les enfants s'expriment aussi en dialecte à l'école?

– Quelquefois, maman.

– Je comprends! Plus tard ils arrivent dans le nord avec un anneau dans le nez! Belle école!

– Ils sont très intelligents, parfois ils me font peur, ils raisonnent comme des hommes.

La vieille prit tout à coup une mine apeurée et baissa la voix.

– Et tes collègues, les instituteurs? Je vis dans l'angoisse de te savoir seule au milieu de tant d'inconnus. Une jeune fille seule!

Elle n'attendit même pas une réponse et poursuivit anxieusement :

– Tu ne dois pas être trop familière. Affable, gentille avec tous, s'ils ont besoin d'aide... Fais-le poliment! Bonjour et bonsoir. C'est tout!

Avec un sourire patient, Elena vint s'asseoir face à elle.

– Maman, ici les gens sont comme partout ailleurs! Les instituteurs sont courtois, et la plupart d'entre eux sont vieux.

– Mais il y a aussi des hommes jeunes...

– Bien sûr, il y a aussi des jeunes, eux aussi sont très gentils.

Dans le ton de leur voix, dans leurs yeux, commençaient à poindre des souvenirs, des rancœurs. Elena se leva et lui caressa les cheveux, la façon la plus douce pour la prier de ne pas insister sur le sujet.

– Tu as vu quel beau village? Cette splendide cathédrale, ces maisons anciennes, les balcons en fer forgé. Autrefois elles étaient toutes habitées par de nobles familles.

Un doute était resté dans le regard de la vieille. Elle fit une petite voix plaintive et sucrée pour qu'Elena ne se mette pas en colère.

– Ces hommes... Je veux dire, l'un d'eux ne t'a jamais courtisée? Tu sais, un homme se montre courtois...

– Non, maman... personne, jamais... sois tranquille! Ils ne me regardent même pas!

Elle enfila sa veste et tenta de l'apprivoiser définitivement avec un sourire.

– A présent, je dois aller à l'école. Tu peux te reposer jusqu'à midi.

A midi juste Elena la vit poindre, ponctuelle, dans la cour de l'école. Elle avait déjà visité la moitié du pays, la cathédrale et ses sarcophages, les deux autres églises, les magasins de la grand-rue où elle avait contrôlé les articles et les prix. Elle voulut être présentée aux instituteurs des classes voisines de celle de sa fille et, à tous, elle demanda pourquoi ils n'avaient pas essayé de se transférer à Turin: « D'autres enfants à instruire, d'autres satisfactions! »

Elle connut un moment de suprême béatitude quand le directeur Battaglia lui baisa galamment la main. Elle fit aussi la connaissance de Michele Belcore et eut immédiatement pour lui une définition lapidaire:

– Cet homme ne me plaît pas!

– Pourquoi maman? Le pauvre...

– Il est sale! Tu as vu cette barbe, les lunettes réparées avec du fil de fer, le col de sa chemise, les cheveux longs...

Et puis quelles manières, il ne m'a pas un instant regardée en face : « Enchanté, madame! » et il est parti!

L'après-midi elle dormit deux heures dans le lit d'Elena, employa une heure à se rhabiller et critiqua tous les instituteurs qu'elle avait rencontrés.

– Ils sont un peu mufles... ce n'est pas de leur faute, une autre race! Seul le directeur m'a paru être un gentilhomme.

En se penchant pour lacer ses chaussures, elle lâcha un pet subtil et se releva aussitôt simulant un accès de toux. Elena lui montra une main menaçante.

– Maman, maman...

– Quoi, maman?

– Rien, il m'avait semblé...

Elle voulut se promener le long de la grand-rue au bras de sa fille afin que tout le monde puisse la voir et se rendre compte quelle mère Elena avait.

– Au moins ils sauront que tu n'es pas orpheline.

Elles allèrent lentement jusqu'à l'église de l'Annunziata et revinrent lentement en arrière. Le fait qu'on les salue à leur passage lui procura une grande joie qu'elle ne put plus réprimer lorsque, devant le cercle, les hommes se levèrent en retirant leur chapeau. Elle eut juste un petit mouvement de recul.

– Qui sont-ils?

– Le maire Liolà, le docteur Sanguedolce, l'adjoint du maire Tuttobene...

A mesure qu'Elena citait leurs noms et professions, sa mère prenait un sourire à la fois satisfait et anxieux.

– Ils sont trop galants, leur regard est mou : fais attention ma fille!

Elle repartit à six heures du soir par le bus allant à Xirbi, où elle prendrait le train pour Catania. En montant dans l'autobus elle fondit en larmes et voulut qu'Elena lui jure de venir passer les vacances de Noël à la maison.

– Ma chérie, tu dois m'écrire chaque semaine, prends garde à tout! Maintenant cours à la maison parce qu'il commence à faire nuit.

Elena aussi s'émut et pleura.

– Ne sois pas triste maman, ne t'en fais pas tout ira bien.

Il s'était levé un vent glacé qui balayait la grand-rue et la place en charriant des gouttes de pluie dans le soir naissant.

– Ma pauvre enfant, tu vas rester seule, toute seule... dans cette nuit de loups!

Elena garda la main levée en signe d'au revoir jusqu'à la disparition du bus dans l'obscurité. « Pauvre maman! Michele va venir dans quelques heures et alors ce sera vraiment une longue nuit de loups! »

Elle releva son col, serra son caban et se mit en marche vers sa maison.

Michele arriva peu avant minuit. Elena le vit apparaître dans la ruelle et raser prudemment les murs. Elle l'entendit monter l'escalier : tout de suite ils s'embrassèrent derrière la porte. Michele murmura :

– Je ne peux rester que deux heures... J'ai laissé quelqu'un à la maison pour s'occuper de ma mère...

– Elle est encore malade?

– Encore. Il n'y a plus de danger mais elle ne peut pas rester seule, surtout la nuit!

– Je regrette de voler tout ce temps à ta mère...

– J'avais trop envie de toi. La dernière fois c'était si grotesque...

Il lui lança un petit sourire menaçant.

– Tu m'as encore insulté : tu te rappelles?

Il enleva son écharpe en s'asseyant sur l'accoudoir du fauteuil. Elena lui mit une cigarette allumée entre les lèvres, fit glisser sa robe de chambre et s'allongea sur le lit, les mains derrière la nuque. Ainsi, elle observa en souriant la paisible manœuvre de Michele et se dit que s'ils étaient mariés elle l'aurait vu faire ces mêmes gestes une infinité de fois. Il retira ses lunettes puis les déposa sur la commode, ôta son pantalon, les chaussures et les chaussettes. « Mais combien de temps lui faut-il pour se déshabiller? pensait Elena. Les chaussettes, le tricot, maintenant il étale son pantalon... Pourtant il bande déjà... Un jour ou l'autre ce type va me tuer. »

Enfin elle le vit nu, à genoux sur le lit, le grand corps blanc, velu et lourd, si proche de ses lèvres. Elle glissa sa main et le caressa lentement, Michele renversa la tête sur le ventre d'Elena qui ressentit aussitôt une espèce de morsure douloureuse entre les cuisses. Surprise, elle poussa un cri et aventura instinctivement sa bouche vers le membre. Ils roulèrent doucement sur le lit, tous deux ivres de désir, s'accrochant, se hissant pour s'offrir tout entier l'un à la bouche de l'autre.

– C'est la première fois... Je meurs, ça suffit!

Le plaisir venait d'une autre profondeur, une sorte de brûlure qui s'étendait dans tout son être et puis revenait se concentrer dans un seul point, contre les lèvres de Michele, et se propageait à nouveau avec l'impression d'une bulle chaude qui éclaterait au-dedans d'elle. Parfois le sexe dur lui échappait, alors elle le cherchait avec avidité, gémissant, en lui enfonçant les ongles dans les cuisses. Aucune honte. Plus rien n'existait, en dehors de ces cercles de plaisir qui vibraient l'un après l'autre avec une intensité insoutenable. Elle en pleura. Ils se serrèrent jusqu'à l'étouffement puis retombèrent, inertes. La voix de Michele rompit le silence.

– Il est tard mon amour, je devrais m'en aller...

Elena émit un long soupir. Elle aurait voulu lui raconter comment, l'autre nuit, un homme l'avait mystérieusement attendue, lui faire partager tout ce qui lui était arrivé d'extraordinaire ces derniers jours, les drôles de dialogues avec sa mère, la sollicitation du comité pour qu'elle prononce un discours devant l'assemblée populaire... Elle avait aussi envie de rester dans ses bras, de se sentir délicatement pénétrée en ce moment même, envie de lui demander pourquoi ils ne décidaient pas de se marier, mais ne trouvant pas les mots elle dit simplement :

– Je voudrais vivre avec toi, Michele...

Elle le sentit se détacher lentement et s'étendre à son côté.

– Mon amour, je ne veux pas que tu vives ici.

– C'est un endroit comme un autre...

– Non, Elena, tu ne vois pas comment vivent les gens? A la tombée de la nuit chacun disparaît dans sa tanière. C'est un pays trop triste et trop pauvre.

– Voilà au moins une raison de lutter!

– Une vie entière n'y suffirait pas... Et puis lutter contre quoi? Contre qui?

– L'ignorance, la misère, tu l'as dit toi-même.

Il lui prit la main sans répondre.

– Michele, toi aussi tu méprises les pauvres de cette région?

– Je suis moi-même pauvre, comment pourrais-je les mépriser? Fils de paysans et neuf ans de séminaire, c'est par ce seul moyen que j'ai pu échapper à la misère. Comment pourrais-je mépriser les pauvres gens?

– Cependant tu refuses de lutter pour leur libération.

– Libération, quelle parole désuette! Un mot qui ne veut rien dire.

Il fixa le bout incandescent de sa cigarette.

– Le fait est que leur libération, comme tu dis, si jamais elle arrive, devra venir de très loin et pour d'autres raisons. Elena, tu ne connais pas les pauvres. T'es-tu jamais demandé à quoi pouvait penser un de ces paysans assis sur les bancs de la place?

Elena l'écoutait en silence. Elle comprenait que Michele, tranquillement, presque sans s'en rendre compte, était en train de révéler l'âme qu'il avait tenue cachée derrière son sourire triste.

– Elena, as-tu pensé combien de fois face à un malheur, une maladie... l'être humain a un accès de désespoir et se demande pourquoi... pour quelle raison... naître, souffrir et mourir? Juste un instant de rébellion parce que immédiatement chacun se résigne à l'idée que Dieu seul décide et qu'il doit avoir son dessein secret. L'homme accepte alors son destin! Que peut-il faire d'autre? Il pense que tout doit nécessairement arriver, même la douleur et la mort, c'est ainsi qu'il se console...

– Mais quel rapport avec la misère? L'injustice? Pourquoi les pauvres devraient-ils forcément les subir?

– Parce que le pauvre associe tout à la mort : la misère, l'ignorance font partie de la fatalité. Autrement...

– Autrement quoi?

– Autrement ils auraient égorgé les puissants et les riches depuis bien longtemps... Pas une pierre ne devrait rester dans le pays.

Il écrasa sa cigarette dans le cendrier, alluma la lumière et s'agenouilla sur le lit. Dans la pénombre elle avait cru que Michele était triste: il affichait au contraire un sourire tranquille et moqueur.

– Je dois vraiment m'en aller...

Avec ses ongles, elle lui lissa les poils du ventre.

– Michele, tu crois en Dieu?

– Je ne devrais pas?

– Qu'est-ce qui te prouve son existence?

Il prit délicatement son sexe entre deux doigts et le tint suspendu.

– Regarde mon amour. Observe ce chef-d'œuvre, il est parfait... la forme, la longueur, même sa fonction... Il est tendre, et rond afin qu'il pénètre sans blesser, un peu plus large au bout pour qu'il ne glisse pas aux moments essentiels... Tu ris, mon amour? Réfléchis, au contraire : pour que l'espèce humaine puisse se multiplier, un instrument parfait a été créé : lui; mais il n'aurait servi à rien si l'homme n'avait pas été amené à s'en servir avec la possibilité d'en retirer un plaisir sans égal... Et pourtant... écoute, écoute cette divine astuce, cette admirable stratégie! Afin que personne n'en abuse, il a été étudié pour qu'une fois le plaisir goûté, il redevienne assez mou et petit pour ne plus être réutilisé.

Elena, ravie, l'écoutait en riant.

– Fantastique invention!

– Absolument fantastique! Après un temps donné il retrouve son énergie et peut à nouveau servir. Tout a été calculé avec une infinie sagesse. Ça n'a pas pu être créé par hasard, une coïncidence de la nature... L'étude en est trop élaborée, c'est une création de suprême intelligence. Ne ris pas mon amour, c'est une preuve évidente de l'existence de Dieu, ce mystérieux artisan...

Elena avait touché le membre qui, à ce contact, grandit un peu et palpita plusieurs fois. Michele soupira en secouant la tête.

– Non, mon amour, il est tard.

Il se détacha doucement et se mit debout.

– Il est vraiment trop tard! A demain.

Toujours allongée sur le lit, Elena le regarda se rhabiller sans hâte et quand Michele se pencha pour l'embrasser, elle le retint par les cheveux :

– Tu n'as rien dit de cette petite chose...

Il fit glisser ses lèvres sur le corps d'Elena jusqu'à ce point et murmura :

– Elle est parfaite! Exactement telle qu'elle doit être!

7

Le lendemain matin, en se rendant à l'école, elle aperçut des groupes très animés sur la place. L'adjudant et le caporal-chef se promenaient en surveillant du coin de l'œil avec l'air de ceux qui venaient de disperser une foule mais craignaient encore quelques échauffements. A part eux, tous les autres paraissaient aussi joyeux que s'ils venaient d'assister à un bon divertissement. Le marchand de tabac raconta à Elena qu'un peu plus tôt le professeur Spadafora avait surgi sur la place et déposé sur les escaliers de la cathédrale une grande pancarte où était écrit en rimes : « Assassins et forbans, donnez la terre aux paysans, si vous ne la donnez pas, vous chierez l'âme par le bas. » Ensuite il avait tenu un meeting électoral, on n'avait pas très bien compris contre qui, et voyant que certains se moquaient de lui, le professeur Spadafora s'était mis à les poursuivre à coups de caillou. Puis il était revenu continuer son discours sur les marches. Quelqu'un s'était glissé derrière lui et avait mis le feu à la pancarte, alors il avait brandi le carton en flammes et s'était mis à courir après les gens en tapant aveuglément sur tout ce qui bougeait devant lui. Pas même l'adjudant n'était parvenu à le maîtriser. A la fin le professeur avait éclaté en sanglots et s'était docilement laissé conduire jusqu'au café : on lui avait donné un cognac, mais sa main tremblait si fort que l'adjudant dut tenir son verre et le faire boire comme un enfant.

En traversant la place, Elena vit les restes carbonisés de la pancarte, et au milieu de tout ce monde encore heureux de ce qui venait de se passer, apparut soudain, essoufflé, le journaliste Agostino qui lui emboîta le pas avec une expression mi-hilare, mi-craintive.

– Mes hommages, mademoiselle Vizzini!

– Bonjour!

– Vous avez su ce qui est arrivé?

– J'ai su!

Malgré son apparence repoussante, la vue d'Agostino la réjouissait. Peut-être était-ce la somme de tant d'éléments grotesques qui rendaient amusant ce petit homme redoutable : son béret en forme d'œuf, quatre rares poils sur le menton, l'imperméable blanc jusqu'aux pieds, le roulement obsessionnel de ses yeux myopes, la pile démesurée de journaux qu'il tenait toujours sous le bras. Tout ce qu'il portait était déboutonné : l'imperméable, la veste, le col de chemise, même la braguette du pantalon.

Ils parcoururent une dizaine de mètres. Agostino essayait de dire quelque chose sans y réussir. Son expression devint carrément drôle : l'allure d'un chien qui veut se faire pardonner.

– Mademoiselle, je saisis l'occasion, si vous le permettez, pour vous informer que le juge a découvert un indice sur le double assassinat.

Ses yeux tournoyaient derrière les verres monstrueux, mais Elena se limita à un sourire indifférent.

– J'en suis contente. Un indice important, j'imagine?

– Ça peut être important! Il s'agit d'un béret.

– Quelle sorte de béret?

– Un vieux béret, si petit qu'il pourrait appartenir à un enfant.

– Ce qui veut dire?

– On l'a trouvé sous le porche de la cathédrale, justement la nuit du délit. On pense que quelqu'un qui se cachait derrière les colonnes a été témoin du drame. Pris de terreur, il a perdu le béret dans sa fuite...

– C'était un enfant?

– Ça, on ne le sait pas encore.

Agostino continuait à marcher près d'elle en se courbant un peu pour manifester son respect, mais Elena accéléra le pas.

– Vous êtes toujours très bien informé...

– Je suis journaliste depuis dix ans : cérémonies, interviews, crimes, tout ce qui se passe sur le territoire.

Mais le propos qu'il voulait aborder était tout autre.

– Voyez-vous, mademoiselle, mon père était menuisier et ma mère paysanne. Ils se sont sacrifiés pour me permettre d'obtenir un diplôme de comptable. Maintenant ils sont morts...

– Je regrette...

– Le fait est que j'ai toujours eu la vocation du journalisme, pourtant la passion ne suffit pas.

– Bien sûr, il faut aussi de la chance.

– Si vous pouviez glisser un mot au *Journal de Palerme,* une promotion...

– Volontiers, mais je ne connais personne.

– Même dans six mois, un an...

– Il faut étudier la question, je vais y réfléchir.

– Merci infiniment!

– Mais de quoi? Merci à vous pour l'information.

– Ça, c'est mon métier, j'ai cru bon de vous tenir au courant.

– Très aimable.

– Vous pouvez toujours compter sur moi.

Il s'inclina deux ou trois fois, et après avoir passé la grille de l'école Elena aperçut sa silhouette encore figée dans la même attitude rigide. « Quel faux-cul! Qui sait ce qu'il a dans la tête! Ces gens parlent et moi je n'arrive pas à comprendre leurs véritables intentions... A présent cette histoire de béret d'enfant... Pourquoi est-il venu me raconter ça? Et s'il s'agissait d'un enfant de l'école?

En entrant dans sa classe, elle remarqua que tous les élèves souriaient en respectant le silence. Sur son bureau fleurissait un grand bouquet de fleurs sauvages et, posée sur les fleurs, une page de cahier sur laquelle était écrit dans la plus belle calligraphie : « Pour madame l'institutrice Vizzini, les enfants de sa classe. »

Elena ressentit une émotion si inattendue et si violente que ses yeux s'embuèrent.

– Vous n'auriez pas dû !

Elle serra l'énorme bouquet sur son cœur et ce geste lui parut à la fois comique et tendre : se sentir aimée et protégée, la sensation physique d'appartenir à un groupe humain.

Après avoir donné une leçon de géographie, elle distribua les copies des rédactions corrigées sur le sujet : « Décris ta famille », et en fit lire quelques-unes à haute voix. Elle lut personnellement le devoir de Calafiore Sebastiano qui était encore absent : deux petites pages remplies d'une écriture minuscule et maladroite, comme si le garçon avait beaucoup peiné sur chacun de tous ces mots pour les rassembler. Il avait écrit :

« Moi je m'appelle Calafiore Sebastiano, j'ai douze ans et cinq frères, le plus grand s'appelle Pasquale, qui a déjà de la barbe, mais comme il est paralysé on l'assoit sur une chaise d'où il regarde tout ce qui se passe en riant tout le temps. Même quand mon frère Luigi de douze ans est mort, Pasquale riait, peut-être parce qu'il s'imagine que tout ce qu'il voit est une plaisanterie. Ma mère Calafiore Concetta qui est si bonne, une fois par semaine avec des ciseaux elle coupe la barbe de Pasquale et dit que le Seigneur doit appeler Pasquale avant elle autrement il restera seul et souffrira trop. Mon père s'appelle Calafiore Lorenzo et fait le travail de fatigueur, ce qui veut dire qu'il est capable de faire tous les travaux qui fatiguent, même transporter des pierres, cultiver le blé, s'occuper des animaux et faire de la maçonnerie. Il a fait trois fois une demande d'émigration en Allemagne et on l'a lui a toujours refusée parce qu'il est malade, d'ailleurs la dernière fois qu'il s'est évanoui, il s'est si bien cassé une jambe que, merci mon Dieu, on lui a donné une subvention de huit cents lires par jour comme ça maintenant il peut rester toujours au lit avec la fièvre. Quelquefois quand il fait beau il se traîne jusqu'à la porte et s'assoit tout de suite au soleil avec une couverture sur lui. La personne que mon père ne peut pas supporter c'est ma grand-mère Maniscalco Giuseppina, la mère de ma mère, laquelle est très vieille, et malédiction, dit mon père, cette vieille ne meurt jamais. Ça c'est ma famille. J'ai encore une sœur de neuf ans qui s'appelle Vincenza, un frère de deux ans qui s'appelle Luigi lequel, comme on le sait, est mort, et puis un frère de six mois qui s'appelle Turiddu, un enfant heureux, dit mon père, qui mange, dort et chie sans se faire de soucis. Dans cette famille enfin il y a aussi moi, Calafiore Sebastiano qui vais à l'école et je veux devenir un homme grand et fort pour qu'on ne puisse jamais me brutaliser et pas avoir besoin de subvention de personne. »

Durant la lecture, elle rit deux fois et tous les enfants l'imitèrent bruyamment; puis elle retourna à son bureau énoncer un problème d'arithmétique et les regarda s'appliquer pendant une demi-heure. Elle fantasmait. Le puissant parfum des fleurs l'étourdissait, elle fermait les yeux, imaginant qu'au-delà des fenêtres il n'y avait pas de village mais le grand espace des campagnes, l'herbe humide, le lichen, le vent, toutes les humeurs d'automne qui s'élevaient de terre.

Les leçons terminées, elle croisa Michele dans un couloir, au milieu du vacarme des enfants qui sortaient des classes. Elle fit un clin d'œil et murmura au passage :

– Ciào mon amour, à ce soir...

Comme d'habitude, quand ils se rencontraient en public, Michele ne s'arrêta pas pour répondre. Tout juste l'éclair d'un sourire et il s'éloigna. L'espace d'un instant, Elena le détesta : « Con, mais de quoi as-tu peur? »

Avant de se disperser dans les rues avoisinantes, les élèves et les enseignants réservèrent, selon la tradition, un salut collectif au directeur Battaglia qui avait l'habitude d'apparaître en dernier au sommet des marches et d'attendre que le portail se referme en sa présence.

En descendant vers la place, Elena rencontra le professeur Carlo Annibale Spadafora et lui adressa instinctivement un sourire amical, mais l'homme, sans même l'avoir vue, passa en titubant comme s'il avait une forte fièvre. Il semblait chercher une direction précise, hésita au coin d'une rue, puis disparut.

Continuant sa route, Elena eut tout à coup l'impression que quelqu'un l'appelait impérativement : elle vit à nouveau le professeur Spadafora, presque caché au coin d'une rue, qui lui faisait des petits signes de la main.

– Psstt... Mademoiselle, mademoiselle...

Elena s'approcha avec un sourire hésitant et tout de suite, le professeur l'invita à le suivre au fond d'une cour déserte : là il parut enfin rassuré. Sa respiration était lourde et ses yeux brillaient.

Il fit une grossière révérence.

– Carlo Rolando Annibale Spadafora. Vous devez sûrement me connaître désormais...

– Dans un certain sens...

– Voilà, justement, on vous a déjà expliqué que je suis fou.

– Ce n'est pas vrai.

– Laissez tomber, il s'agit d'autre chose.

Il la regarda en penchant un peu la tête.

– Je me demande si vous êtes seulement ingénue ou aussi malhonnête.

– Vous m'avez appelée pour m'insulter?

Il ne la laissa pas poursuivre.

– Mieux : malhonnête et imbécile.

– Adieu, professeur.

Il lui barra le passage, agitant les mains avec tant de force que ses lunettes vibrèrent.

– Mais comprenez-vous ce que vous êtes en train de faire?

– Que devrais-je comprendre?

– La vérité, mademoiselle Vizzini. Vous devez comprendre la vérité!

Soudain le professeur haussa le ton comme si le comportement d'Elena l'avait offensé.

– Je prêche depuis quarante ans et puisqu'*ils* ne pouvaient pas m'abattre, *ils* ont finalement cessé de me combattre et ont dit que je n'en valais pas la peine parce que j'étais fou... Brave Carlo Rolando, mais bien sûr! Tu as raison! Bravo, bravo... A peine dis-je un mot que tout le monde se met à applaudir... Vous voyez le piège infâme? Il y a des moments où j'ai vraiment l'impression d'être fou!

Il eut un ricanement et ajouta dans un seul souffle :

– Cela m'a pourtant servi, gentille demoiselle, parce que j'ai enfin compris comment il faut s'y prendre. La solution d'un fou justement, est la seule possible... idéale... Venez, venez...

Il s'approcha d'une petite porte et l'ouvrit d'une main.

– Entrez, je vous en prie.

Au-delà s'étalait une vaste pièce dans un désordre épouvantable, tout y était jeté en vrac. Elena, perplexe, s'arrêta sur le seuil, mais debout au milieu de la pièce le professeur insistait.

– Vous avez peur d'entrer?

– Non, je n'ai pas peur.

Elle descendit une marche et avança de deux pas. Le professeur retint un éclat de rire.

– Venez, venez... Je suis vieux, les femmes me dégoûtent.

Sans lui donner le temps de répondre, il se mit à déplacer une table, un fauteuil et des chaises pour lui faire de la place. L'endroit ressemblait à l'entrepôt d'un brocanteur : vieilles chaises, lampadaires, tableaux abîmés, caisses d'emballage, assiettes sales empilées sur le lit, chaussures, vêtements, un pot de chambre, une table supportant une pyramide de livres, des bouts de chandelles et de cigarettes, des feuilles de journal, et au milieu de ce fouillis, cette masse de cheveux gris et ces yeux hallucinés qui la regardaient avec un sourire de triomphe.

– Vous voyez ce qu'*ils* m'ont fait. Une tanière, la

tanière du fou. Quarante ans de persécution : aujourd'hui *ils* sont même devenus gentils et patients avec moi. *Ils* pensent que de toute façon je suis vieux et ne tarderai pas à mourir...

Sa voix devint plus dure :

– Alors qu'*ils* devraient commencer à trembler.

Il poussa tous les objets qui encombraient le lit, sans s'arrêter de parler.

– J'ai lutté, gentille demoiselle... Je croyais que ça suffisait! Je suis allé en prison, j'ai pris des coups de bâton et de fusil, mais dès que j'étais sur pied je recommençais à me battre, meetings, discours, articles, je m'imaginais que ça pouvait suffire et au contraire, illustre mademoiselle, je n'étais qu'un con... pardonnez le mot.

– Je vous en prie.

– Je n'étais qu'un con! Voilà le résultat après quarante ans! Vous ne savez pas combien la société peut être diabolique lorsqu'elle s'acharne contre un homme seul!

Elena eut l'impression qu'il allait pleurer mais le professeur fit un geste imprévu : il souleva le matelas et découvrit un vieux coffre de fer.

– J'ai enfin compris ce qu'il fallait faire.

Il avait enlevé le couvercle de la boîte en tremblant. Les mots sortirent de sa bouche, et c'est comme s'il vomissait les phrases :

– Dix kilos de dynamite, illustre demoiselle Vizzini. J'ai mis sept ans à rassembler dix kilos de dynamite dans cet accumulateur. Je l'ai fabriqué de mes mains, tout est au point, il suffit d'allumer la mèche et de compter jusqu'à cinquante...

Il rabattit le couvercle si violemment qu'Elena craignit que son geste ne les pulvérise tous les deux.

Le professeur rejeta le matelas et fit un effort pour retrouver son souffle.

– Savez-vous comment j'appelle cette boîte de fer? Je l'appelle Soledad, un nom espagnol qui me plaît... Solitude. Une nuit je prendrai Soledad, je la déposerai sous la première colonne du fronton de la cathédrale et j'allumerai la mèche. Je n'aurai même pas besoin de courir... De toute manière je suis vieux... Tout le monde dormira pendant que moi je compterai jusqu'à cinquante : l'explosion désagrégera la première colonne, tout de suite après, l'autre colonne cédera aussi, puis la troisième, la façade entière s'inclinera lentement et croulera d'un seul coup en écrasant la place, les maisons, les immeubles, avec tous leurs occupants : les patrons du pays!

Il s'assit sur le bord du lit et, le visage blême, regarda Elena en silence. Elle sentait encore son cœur battre d'épouvante; néanmoins, elle s'approcha prudemment du professeur et le toucha d'un doigt.

– Professeur, vous vous sentez mal?

Carlo Rolando secoua la tête, se remit péniblement debout en dégageant une terrible odeur de vin. Il était probablement saoul mais lorsque Elena se dirigea vers la porte, il devint subitement assez agile pour lui barrer le chemin.

– Un jour ou l'autre, mademoiselle Vizzini... Vous ne me croyez pas?

– Oui, professeur... Plutôt aujourd'hui alors, adieu!

Elle s'apprêta à tourner le loquet quand le professeur la saisit au poignet dans un geste de colère inattendue. Ces relents avinés étaient insupportables.

– Comment pouvez-vous partir ainsi?

– Je suis pressée, professeur, soyez gentil.

– Vous ne savez rien de ce pays! Rien, rien...

Elena se mit à avoir vraiment peur. Spadafora disait des phrases incohérentes.

– Trois mille malheureux forcés d'émigrer... Moi j'ai fait des recherches, je peux le prouver... Chaque année trois cents enfants meurent de typhus et de méningite... Vingt personnes seulement achètent le journal... Il se passe des choses terribles... Vous devez comprendre la vérité...

Elle tenta de le pousser dans l'espoir de sortir.

– Demain, demain professeur...

– C'est impossible, il sera trop tard!

Il l'attrapa par les épaules pour l'empêcher d'ouvrir la porte, mais cette fois Elena le repoussa dans un violent sursaut de mépris.

– Oh allez... vous ne voyez pas que vous êtes saoul? Quelle horreur!

Elle franchit le seuil, traversa la cour en toute hâte et courut jusqu'à l'escalier qu'elle se remit à descendre sans même se retourner, mais eut un frisson de panique quand elle l'entendit crier dans son dos.

– Sauve-toi, sauve-toi petite institutrice de merde. A présent, je t'ai découverte, tu es plus malhonnête que les autres!

Le long des escaliers il y avait encore quelques enfants avec des livres sous le bras et quatre ou cinq personnes qui remontaient lentement. Ils la regardaient tous, ébahis. Des portes et des fenêtres s'ouvrirent. Elena se mit à courir: elle n'entendit plus la voix de Spadafora et souhaita qu'en la poursuivant il se soit cassé l'os du fémur. Dans ce bout de rue, personne ne pouvait plus la protéger: elle ramassa instinctivement un de ces lourds bâtons qui servent à étendre le linge et se sentit aveugler de colère: « S'il se met devant moi je lui fais sauter la tête avec ça! »

Elle ne jeta le bâton qu'en arrivant sur la place et là, elle ralentit le pas pour mieux fixer la gigantesque cathédrale: « Maudit ivrogne, il a bien fait ses comptes... Les deux premières colonnes sautent, les autres ne peuvent plus soutenir le poids de l'édifice et la façade commence à se pencher en avant jusqu'à ce qu'elle s'écroule brutalement. Autour, tout serait détruit: le cercle des bourgeois, les boutiques, le café, la maison de l'avocat Bellocampo, la mairie et la caserne. Beau coup! »

Spontanément, elle eut aussi une pensée un peu vile: « Ma maison se trouve derrière l'église: assez loin... »

Elena s'arrêta au milieu de la place et alluma une cigarette. « Il vaut peut-être mieux que j'en parle à ce galant homme d'adjudant... » Le geste lui parut pourtant trop misérable. Non, pas de mouchardise. Spadafora n'agira que lorsqu'il se sentira proche de la mort une heure avant, si son cœur tient... Ou il n'en fera rien. Soyons sérieux... C'est seulement une canaille qui joue au tragédien, il veut faire du chantage, c'est tout. Qui sait à quoi il aspire lui aussi? Une pension, une subvention peut-être...

A cinq heures de l'après-midi, peu avant le crépuscule, il y eut une cérémonie pour l'offre de dix logements à autant de familles tirées au sort. Ces deux derniers jours, on avait essayé de rendre les lieux habitables en y installant l'électricité, des tuiles sur les toits et des vitres aux fenêtres. Mais le temps avait manqué pour s'occuper des robinets, des portes, et les chasses d'eau ne fonctionnaient pas pour la simple raison qu'il n'existait dans la zone, ni égout, ni aqueduc.

La cérémonie fut émouvante. Beaucoup de ces pauvres femmes se mirent à pleurer en recevant les clés de leur nouvelle demeure, on leur distribua des petits drapeaux et les plans de ce qui, dans un an, devrait être le nouveau quartier résidentiel. Le maire fit un bref discours salué par un ouragan d'applaudissements, le chanoine Leone bénit les maisons en exhortant les nouveaux locataires à une reconnaissance chrétienne, après quoi la commune proposa un rafraîchissement aux représentants du comité civique et à leurs gentilles dames.

Le buffet, composé de petits fours à la crème et de cornets au fromage, Vermouth et Marsala, avait été dressé dans un salon du rez-de-chaussée où s'organisait chaque année le réveillon de Carnaval : l'une des parois était décorée de drapeaux sous lesquels se profilait une longue rangée de chaises. En face, ornée d'un ruban tricolore, trônait la table du buffet avec quatre garçons en veste blanche.

Une centaine de personnes au moins étaient présentes : maire, adjoints, médecin, géomètres, employés, instituteurs, presque tous accompagnés de leur épouse respective et, chaque fois qu'un invité entrait dans cette salle emplie de bonnes odeurs, il se sentait immédiatement envahi d'un bonheur disproportionné. Tout le monde se disait bonjour, riait, parlait à voix haute, se déplaçait d'un bout à l'autre de la pièce avec une assiette débordante de petits fours et de cornets au fromage.

Elena, un peu étourdie, s'assit quelques instants avec un groupe de femmes parmi lesquelles se trouvait l'épouse du directeur Battaglia, aussi ample et lascive qu'il était sec et minuscule; entièrement habillée de violet, elle avait des cheveux oxygénés sur une petite figure ronde, des lèvres charnues, les yeux rieurs et une langueur continue dans tous ses gestes, chacun de ses mots. De temps en temps, son mari lui apportait un petit four ou un doigt de Vermouth et la dame s'effaçait avec une petite plainte avide et résignée.

D'autres invités arrivèrent et ce fut un bouquet de gloussements, de salutations et de rires : le brouhaha devint presque une clameur. Elena éprouva une sorte de malaise, elle n'arrivait pas à comprendre ce que les gens disaient, c'était comme si les mots et les regards avaient pris une autre signification... la même sensation de solitude qu'elle éprouvait en discutant avec Bellocampo; quelquefois aussi avec Michele... cet éternel sourire aux lèvres qui n'est même pas un vrai sourire mais une ombre, une mystérieuse lueur.

Il y eut soudain une excitation générale : le moment des glaces fraise-pistache était arrivé. Tous là : maire, adjoints, médecin et géomètres assis sous le grand drapeau tricolore en train de déguster délicatement le sorbet tant attendu.

Elena s'amusait beaucoup du spectacle. En les observant, elle pensa que l'un d'eux était peut-être l'auteur de ces absurdes assassinats...

Elle n'arrivait pas à se figurer cet homme : son imagination ne lui renvoyait qu'une ombre... ce qui était sûr, c'est qu'il devait bien rire! Elle rencontra un instant les yeux du docteur Sanguedolce qui lui adressa un petit geste poli et le regard du chanoine Leone sembla plonger dans le sien mais il dévia aussitôt. Le journaliste Agostino s'approchait. Sa vue lui inspira une telle répulsion qu'elle se faufila le long du mur en demandant la direction des lavabos. Une petite porte lui fut indiquée.

Au-delà de cette porte, il y avait une espèce de magasin où étaient entreposés pêle-mêle les masques servant au cortège de Carnaval, d'énormes têtes grotesques en papier mâché, d'un mètre de haut, mêlées les unes aux autres à des fleurs en plastique et de grandes toiles peintes. D'autres étaient suspendus au plafond. Au bout, un escalier métallique menait aux toilettes. Du haut de l'escalier, elle vit le maire Liolà refermer la petite porte derrière lui et faire quelques pas hésitants. Il avait l'air de chercher quelqu'un. Un bruissement se fit entendre et quelques secondes plus tard apparut l'épouse du directeur Battaglia dans sa splendide robe violette. Ils se prirent immédiatement la main et se regardèrent un court moment en dressant l'oreille, guettant le moindre bruit : tant de choses étaient entassées dans ce lieu que deux personnes pouvaient très bien se cacher sans être vues, sauf si quelqu'un, comme Elena, se trouvait immobile au sommet de l'escalier en retenant sa respiration.

Enfin, le maire Liolà et madame Battaglia s'embrassèrent voluptueusement, la femme avait rejeté la tête en arrière, comme privée de forces et l'homme la soutenait au niveau des reins en la serrant fiévreusement contre ses jambes. Quelques mouvements convulsifs suivirent. Le maire avait tenté de soulever la robe de la dame qui s'était d'abord affolée : « Non, non, mon chéri... pas ici... », puis elle s'était installée sur une caisse. Ils durent entendre un bruit car ils s'immobilisèrent, elle presque à genoux et lui debout, qui scrutait lentement alentour.

Madame Battaglia avait déjà défait la braguette du pantalon et s'arrêta une seconde en lui adressant d'en dessous un sourire craintif, comme pour lui demander sa permission. Avec un petit rire nerveux, elle sortit un sexe, grand et noir, encore un peu mou. Le fait de le tenir entre ses mains provoquait chez elle une cascade de rires. Il semblait avoir un extraordinaire effet comique; elle le palpait, le pinçait, le caressait avec la joue pour enfin l'admirer avec extase et étouffer un éclat de rire.

Le maire Liolà, le menton rentré dans le cou et la bouche béante, la regardait faire avec un sourire éteint. Il avait écarté les jambes pour retenir son pantalon et lançait de temps en temps un regard anxieux au-delà des masques, puis replongeait le menton dans sa cravate.

« Et cette femme est supposée souffrir de rhumatismes! » pensa Elena.

Le maire laissa glisser son pantalon. Son membre était si excité qu'à côté du petit visage de madame Battaglia il prenait une dimension impressionnante. On avait du mal à admettre qu'il puisse disparaître dans une bouche si menue. Elle avait perdu toute réserve, agenouillée, les cuisses largement ouvertes, accrochée au membre de l'homme, on avait l'impression que d'un moment à l'autre elle allait être écrasée par lui.

Dans le silence, Elena se surprit à haleter elle aussi. « Maudits dégoûtants! Comme ils jouissent... Ils vont me rendre folle... »

Elle appuya un poing vibrant sur son ventre et en éprouva une douleur diffuse, une colère immédiate : elle envoya un coup de pied contre des boîtes en carton empilées près du mur.

Les boîtes glissèrent et rebondirent dans un bruit sourd. Madame Battaglia s'arracha des bras du maire dans un sursaut d'épouvante et la chose continua de vibrer dans le vide. Liolà, debout, désappointé, remonta son pantalon en soupirant, le reboutonna en jetant des regards apeurés autour de lui, tapa sur le membre pour le rentrer dans la braguette, boutonna aussi sa veste et fit un signe implorant du côté des cartons.

Tous deux retenaient leur souffle pour essayer de comprendre ce qui s'était passé. Le maire la rassura avec un sourire, alluma une cigarette, étira sa veste et s'éloigna discrètement. Madame Battaglia attendit un peu sans bouger puis releva sa robe pour arranger ses dessous, lissa le tissu sur ses hanches et s'en alla. Son visage avait retrouvé un sourire langoureux et gentil.

Elena laissa passer quelques minutes avant de revenir dans la salle. La première chose qu'elle vit fut la robe violette de madame Battaglia qui se détachait dans la foule; elle vit aussi le maire assis entre le chanoine Leone et le docteur Sanguedolce, tous trois occupés à savourer une autre glace. Quelqu'un avait mis un disque diffusant une joyeuse marche quand, au fond du salon, on entendit une voix tonnante :

– Je salue la belle compagnie!

Une fraction de seconde, le vacarme s'apaisa, tout le monde se tourna vers le professeur Spadafora, mais tout de suite le docteur Sanguedolce, qui d'habitude était le plus prévenant, se leva avec un cri d'allégresse :

– Un verre pour le professeur!

Des applaudissements éclatèrent comme si tous avaient attendu cette rencontre. Dix mains amicales s'élancèrent sur lui et le tirèrent vers le buffet. Il chercha d'abord à résister en gesticulant et en criant pour surmonter le bruit.

– Ici on mange et on boit... De la gaieté mes amis, le peuple meurt de faim!

Peut-être à cause des rires, de la musique ou du parfum des friandises, sa résistance s'alanguit.

– Bravo, bravo... Magnifique festin organisé avec l'argent public!

Les dames aussi l'applaudirent, alors il s'acharna, alternant les éclats de colère et les rires. Il accepta même de monter sur une chaise.

– Félicitations! Des tas d'enfants manquent de pain... Félicitons aussi les belles dames! Je vous ferai tout payer... Le jour où ce pays ne sera plus peuplé de ruffians... Ah, merci, merci. Vous tenez à m'offrir un verre de Vermouth? J'accepte au nom du peuple.

Quelqu'un avait remplacé la joyeuse marche par l'hymne national et il y eut une clameur de satisfaction immédiatement suivie d'un déferlement d'enthousiasme.

On avait même apporté un plateau avec quelques verres de Vermouth. Le professeur Spadafora en prit un, s'humecta délicatement les lèvres, puis leva son verre très haut :

– Santé!

Il but d'une traite. Eut lieu une authentique ovation, une espèce de colossal fou rire collectif qui le rendit furieux. Il réajusta ses lunettes, rit à son tour et dirigea ses poings sur l'assemblée :

– Riez, riez... Un jour je vous marcherai dessus... vous avez offert dix sales maisons à une poignée de malheureux pour être en paix avec votre conscience... Un jour ou l'autre je vous piétinerai, j'ai toutes les preuves, les documents...

Tout à coup il se tut et son visage se mit à enfler, il devint cramoisi, les veines de son cou et du front gonflèrent, ses yeux commençaient à sortir des orbites. Il était debout sur la chaise, donnant l'impression de vouloir conserver une certaine tenue mais il était en train de lui arriver quelque chose, soudain il laissa éclater un accès de toux inhumain et son dentier gicla. Ses joues s'affaissèrent, il laissa flotter un instant son regard exorbité puis il tomba de tout son long sur le buffet. Il était mort.

8

Cette nuit-là Michele ne vint pas et Elena en fut presque contente : elle était épuisée. Trop de choses s'étaient passées et l'ombre glacée de la mort planait encore une fois sur le village. Elle pensa que Michele devait être aussi fatigué qu'elle : « Le pauvre! Mais ça vaut mieux, cette nuit on pourra enfin dormir... »

Son sommeil fut profond, sans rêves, et le lendemain elle s'éveilla de très bonne humeur. Elle chanta et sifflota tout le temps que dura sa toilette.

En ouvrant la porte, elle se cogna au caporal-chef Ferraù qui l'attendait sur le palier.

– Bonjour, mademoiselle Vizzini, vous êtes priée de me suivre à la caserne.

Elle le regarda étonnée.

– Qu'y a-t-il caporal... Ils en ont tué un autre?

– Ah mademoiselle, alors vous les voulez tous morts...

– Tous qui, caporal?

– Je n'en sais rien! A qui pensiez-vous?

Pour la première fois Elena se dit que le caporal n'était pas seulement une gigantesque bête. Diable, il arrivait même à faire de l'esprit. Ils s'acheminèrent. Le caporal essayait de respecter la distance d'un pas en arrière. Elena prit son paquet de cigarettes, en mit une aux lèvres et tendit le bras pour lui en offrir.

– Une cigarette, caporal?
– Non merci, mademoiselle.
– Vous n'osez pas fumer dans la rue?
Puisqu'elle insistait en tenant le paquet sous son nez, le caporal prit une cigarette et la glissa dans la pochette de sa capote.
– Je la fumerai plus tard.
– Vous voyez que vous n'osez pas!
Sur le chemin tout le monde saluait. Elena répondait à chacun en tirant de grandes bouffées de fumée.
– Vous avez vu comme ils sont gentils, caporal? Ils me disent tous bonjour...
– Évidemment, mademoiselle.
– Pourquoi évidemment?
– Parce qu'ils sont polis...
Décidément l'homme réussissait à penser. Elena s'amusa à imaginer le caporal Ferraù en train de faire l'amour : il enlevait son uniforme et s'allongeait sur une épouse vieillissante en donnant des petits coups réguliers, et elle, immobile, regardait tristement le plafond. Entre, à ce moment-là l'adjudant Orofino : « Mais que faites-vous donc, caporal? » et le caporal se relève avec un membre que la peur avait rendu plus petit qu'un doigt : « A vos ordres, adjudant! » L'idée lui parut si ridicule qu'elle se mit à rire. Le caporal se montra étonné, alors elle balança les doigts dans un geste insolent.
– Une fantaisie, caporal : je pensais.
A peine arrivés à la caserne, le planton la fit entrer sans attendre dans le bureau du juge. Élégant, rasé de près avec une magnifique cravate rouge, le juge Occhipinti paraissait encore plus jeune et plus petit que d'habitude. Lui aussi semblait d'excellente humeur et il se montra immédiatement très gentil : il l'accompagna jusqu'à son bureau, attendit qu'elle soit assise pour s'asseoir à son tour. Elena eut l'impression qu'il avait quelque chose de difficile à dire. Avec une infinité de petits gestes aimables, il rangea d'abord les objets qui se trouvaient devant lui : encrier, cendrier, cigarettes, briquet, et lança enfin un sourire condescendant.

– Vous voulez une cigarette?

Il approcha courtoisement la flamme de son briquet. Sa voix devint encore plus galante, plus prévenante.

– Puis-je vous offrir un café?

Il parut très content du signe affirmatif d'Elena et invita le caporal à s'exécuter sur-le-champ.

– Ce Bar fait un café extraordinaire, du miel! Un sirop de café... Peut-être parce que je fume beaucoup, mais le café doit être parfait, comme Dieu le veut!

Il espérait probablement qu'Elena dise un petit mot gentil mais elle ne le dit pas, se limitant à fumer et à le regarder. Le juge ouvrit finalement un dossier, remonta ses lunettes sur le front et aspira profondément.

– Donc, mademoiselle Vizzini, maintenant je devrais vous poser une question très délicate, qu'à vrai dire je préférerais ne pas avoir à formuler...

– Alors ne la posez pas!

– Hélas mademoiselle, impossible, ce sont des questions que le devoir m'impose et auxquelles je vous supplie de donner une réponse sincère.

– Par exemple?

– Par exemple qui est l'homme que vous avez reçu de nuit dans votre habitation de la rue Redentore?

Elena expira un lent filet de fumée. Elle semblait surtout intéressée par ce nuage de fumée bleue.

– Qu'est-ce qui vous fait croire que j'ai reçu un homme chez moi?

– J'ai un rapport des carabiniers.

– Alors vous me faites épier?

Le juge eut un sourire découragé mais toujours prévenant.

– Voyez-vous, mademoiselle, j'aimerais vous convaincre de deux choses. Primo : que personne ne vous croit responsable des trois homicides. Secundo : que les trois homicides ont pourtant un rapport direct avec vous.

– Ça, ce n'est qu'une supposition.

– Vous dites que ce n'est qu'une supposition? Puis-je vous demander de me suivre dans mon raisonnement?

– Je vous suis.

– Bien! Trois hommes ont été tués! Est-ce un fait oui ou non?

– D'accord, c'est un fait.

Le juge prit délicatement le paquet de cigarettes et le déposa au centre de la table comme si c'était le premier argument logique du discours. Il fit un petit mouvement de tête demandant à Elena l'approbation de ce qu'il était en train de faire.

– Donc : le premier homme a été tué quelques heures après vous avoir offensée sur la place publique devant au moins cent témoins... Ça non plus, vous ne pouvez pas le nier.

– Je ne le nie pas.

– Et pourtant vous ne pouvez expliquer qui a tué cet homme et pourquoi.

– C'est vrai, je ne peux pas l'expliquer.

– Poursuivons.

Toujours avec une grande délicatesse, le juge prit le briquet et le cendrier pour les déposer silencieusement à côté du paquet de cigarettes, sans perdre son sourire.

– Très bien! Quelques jours passent et deux inconnus arrivent au village à dix heures du soir sur une moto et vous agressent avec une détermination féroce. Quatre heures plus tard ils sont abattus de six coups de revolver. Arrêtez-moi si je fais erreur...

– Aucune erreur.

– Pouvez-vous nier que ces crimes ont été commis juste après une atteinte à votre personne et probablement à cause de cela?

– Vous l'affirmez et moi je ne peux pas le nier.

– Résumons alors. Dans ce pays, tous ceux qui vous offensent ou vous agressent sont retrouvés morts. Vous ne savez vraiment rien...

– Rien de rien.

– Juste, exact, je le reconnais. Vous n'êtes pas responsable ni complice, vous ne savez sûrement rien. Pourtant vous aussi, parbleu mademoiselle, ne me dites pas non... vous aussi avez dû chercher à comprendre ce qu'il se passait...

– J'ai essayé sans réussir. Maintenant j'attends que vous me l'expliquiez. C'est le devoir du juge... ou je me trompe?

Toute l'aimable atmosphère de salon venait de s'envoler. Les voix restaient pourtant sans violence. Le juge mit l'encrier sur le paquet de cigarettes et le briquet sur l'encrier.

– Parfait! Puisque c'est justement moi qui ai le devoir d'expliquer les trois assassinats, j'ai aussi le droit de connaître tout ce qui pourrait servir à l'explication. Alors mademoiselle Vizzini, qui est l'homme que vous avez reçu de nuit chez vous?

Elena le fixa sans répondre. Le juge gifla la pyramide d'objets qu'il avait devant lui et tout à coup un dialogue furieux se déchaîna, le ton montait, les gestes devenaient agressifs.

– Tout est inscrit dans ce rapport, vous ne pouvez refuser de répondre!

– Je suis une femme et je peux recevoir chez moi qui me plaît.

– Selon les cas...

– Dans tous les cas! La loi m'interdit seulement d'en faire un but lucratif.

– Les intérêts de la justice sont en jeu!

– J'ai le droit de ne pas révéler mes sentiments, même à la justice.

– C'est là où vous vous trompez! Je ne veux pas connaître vos sentiments, ni ce que vous faites avec cet homme dans votre chambre...

– Voilà pourtant une demi-heure que vous cherchez à le savoir.

– Je veux seulement savoir son nom.

– Je l'ai oublié.

– Vous l'avez oublié?

– Oui!

Le caporal Ferraù venait d'entrer, portant un petit plateau et deux tasses. Il faisait courir ses yeux de l'une à l'autre sans oser un geste. Le juge prit donc lui-même l'initiative, déposa les deux tasses sur le bureau, renvoya le caporal, ferma la porte, versa un peu de sucre dans le café d'Elena, attendit son accord pour en ajouter, sortit une petite boîte de son gilet, y prit une pilule pas plus grosse qu'une tête d'épingle et la laissa tomber dans sa tasse. Il fit tout cela en silence, avec courtoisie, puis touilla son café d'un seul mouvement de la tasse. Il goûta.

– Il est bon?

– Très bon!

Il lui alluma une autre cigarette, et fit quelques pas dans la pièce. La bourrasque de paroles devint un Andante.

– Puis-je vous demander encore une minute d'attention?

– Je suis attentive.

– Pouvons-nous raisonner en personnes civilisées et dans un intérêt commun?

– Raisonnons.

– Voyez-vous, mademoiselle Vizzini, chaque homicide, à moins qu'il ne soit commis par un fou, possède infailliblement son mobile. Je crois que ceci est parfaitement clair.

– Parfaitement.

– Il se trouve que les principaux mobiles sont limités et juridiquement sans équivoque : vengeance, intérêt, jalousie. Il ne fait aucun doute qu'à la base de ces trois assassinats il y a forcément l'un de ces mobiles. Vous continuez à me suivre?

– Je vous suis.

– Merci! Puisque vous vous trouvez, même à votre insu, au centre de ces trois délits, je suis contraint de chercher un modèle qui corresponde à votre cas. Ne feriez-vous pas la même chose?

– Moi je suis institutrice. Je ne sais qu'enseigner.

Le juge retint un mouvement de violence. Il fit au contraire une petite pause et prit une voix des plus courtoises.

– Examinons la première hypothèse : la vengeance?

Pour se venger de quoi? Ils auraient pu vous prendre pour quelqu'un d'autre... mais c'est absurde! Ils n'auraient pu se tromper que la première fois! Et puis ici personne ne vous connaissait...

Il continua sa promenade.

– Alors l'intérêt? Encore moins. Vous n'avez aucun parent dans la région, pas d'héritage en vue, vous n'avez pas prêté d'argent et ne vous en êtes pas fait prêter, vous ne jouez pas, n'êtes pas usurière. Rien. On écarte aussi le mobile d'intérêt.

Il arriva au fond de la pièce, tourna habilement sur ses talons et s'arrêta.

– La vengeance écartée, l'intérêt écarté, quel mobile reste-t-il?

– Quel mobile reste-t-il?

– Reste le mobile de la passion, c'est-à-dire celui de la jalousie! Mademoiselle Vizzini, on n'y échappe pas!

– Et qui veut s'échapper?

– Bien sûr, pourquoi le feriez-vous?

Le juge avait encore un peu de café dans sa tasse et le dégusta les yeux fermés. Il fit ensuite un geste théâtral.

– La passion, certainement. Mystérieuse, mortelle passion humaine! Passion de qui? Comment, quand, pour qui?

Il contourna lentement Elena, puis le bureau. La fin de son exposé devait arriver car sa voix trembla d'émotion.

– Faisons encore deux suppositions. L'homme que vous aimez et rencontrez la nuit est jaloux jusqu'à la folie. Cet homme tue Villarà qui a osé vous insulter publiquement. A leur tour, deux amis de Villarà le vengent en vous rouant de coups.

– Pourquoi ne m'ont-ils pas tuée?

– Avant tout parce que vous êtes une femme, mais surtout parce que c'est lui qu'ils veulent tuer, votre amoureux. Mais ils ne savent pas qui il est, alors c'est vous qu'ils frappent par outrage, par défi, ils veulent le contraindre à se manifester...

– Les imbéciles!
– Justement! En fait, la même nuit votre amoureux se montre et les tue.
– Une histoire romantique! Ce n'est pourtant que la première hypothèse...
– La deuxième est bien plus terrible!
– Qu'y a-t-il de plus terrible que trois assassinats?
– Il y a le quatrième, le cinquième assassinat...
Cette fois Elena pâlit et le juge baissa instinctivement la voix.
– Dans ce pays, il y a un homme tragiquement amoureux de vous!
– Celui qui vient me voir la nuit?
– Un autre... Il n'a jamais osé vous parler et se limite à vous aimer en secret, mais il est complètement fou!
– Timide et fou... Qui ça peut bien être?
– Un homme si féroce que vous devriez en éprouver de la terreur! La passion l'a complètement aveuglé, sa jalousie est mortelle : il tue Villarà qui vous avait à peine offensée, puis il tue ces deux idiots qui avaient voulu le venger. Et maintenant...
Elena était devenue encore plus pâle.
– Et maintenant?
– Maintenant il tuera aussi votre amant... Il n'attend que le moment opportun!
Le juge enleva ses lunettes, son animation s'éteignit.
– Il est fou, mademoiselle... Qui peut dire qu'il ne veuille pas vous tuer vous aussi?
Il se laissa tomber dans le fauteuil, la nuque en arrière et les yeux clos, mais se réveilla aussitôt.
– Voilà pourquoi j'ai besoin de savoir qui vous rend visite... Car c'est peut-être lui l'assassin, et vous ne pouvez pas protéger un criminel... peut-être est-il au contraire innocent, mais dans ce cas c'est lui qui risque d'être tué d'un moment à l'autre... Vous ne souhaitez pas l'exposer ainsi à la mort, n'est-ce pas?...
Ils se regardèrent un long moment et Elena finit par secouer négativement la tête.
– Non, monsieur le juge, c'est inutile... Cet homme est

incapable de tuer. De plus il ne court aucun danger parce que je ne le verrai plus... Une histoire terminée. Il est sauvé maintenant.

– Mademoiselle Vizzini, pourquoi ne voulez-vous pas m'aider?

Elena s'était levée. Au lieu de répondre, elle posa une question à son tour.

– Puis-je avoir un revolver?

– Vous avez peur?

– Oui, j'ai peur! Donnez-moi un revolver.

Le juge ramassa son dossier et ouvrit une porte conduisant à l'intérieur de la caserne. Il lui lança un étrange et triste sourire.

– C'est impossible, mademoiselle. Il serait tellement plus simple de nous aider à comprendre.

– Mais vous avez déjà tout compris! Votre raisonnement est parfait...

– Il serait parfait si hier il n'était pas arrivé quelque chose qui a tout gâché.

– Quelle chose?

– Un quatrième homicide. Vous étiez présente: le professeur Spadafora a été assassiné. Un gramme de strychnine a été mêlé à son Vermouth.

Elena fut pétrifiée. Elle ne répondit que par un signe imperceptible au salut du juge qui sortait et sursauta au bruit sourd que fit la porte. Le caporal Ferraù la regardait, impassible.

Elle le fixa un instant puis lui tapota l'épaule.

– Au revoir, caporal!

Durant toute sa matinée de classe, elle essaya de se prouver que le juge avait seulement cherché à la faire tomber dans un vulgaire piège, que ce petit juge, si affecté et mielleux, n'était qu'un petit con tiré à quatre épingles. Après tout le professeur Spadafora avait été terrassé par un infarctus, tout le monde l'avait vu, même le docteur Sanguedolce l'avait constaté.

Et puis cette histoire de Michele était la plus absurde. Lui, tuant par amour ou pouvant être tué par jalousie! Plus elle s'angoissait à raisonner plus elle sentait grandir en elle une source de tendresse pour Michele, comme s'il était resté sans défense au milieu de ce chaos et qu'elle devait, à son tour, le protéger de tout son amour.

Elle se dit aussi qu'à partir de ce soir sa maison serait surveillée par les carabiniers pour découvrir l'identité de l'homme qui lui rendait visite et cette pensée devint sa plus grande inquiétude car s'il était une chose à laquelle elle ne voulait ni ne pouvait renoncer, c'était Michele : c'est-à-dire le plaisir, la douceur d'être aimée, l'anxiété quotidienne de l'attente, la sensation physique de la protection au milieu de cette tempête. Mais tout à coup une autre pensée devint claire : le juge savait sans doute déjà que son amant était Michele! Une nuit les carabiniers l'avaient vu sortir de chez elle... Tout nigauds qu'ils étaient, ils l'avaient sûrement reconnu... En vérité, le juge voulait seulement l'entendre prononcer ce nom... Juge Occhipinti de mes fesses! Cet homme délirait! Avec sa petite figure livide de merde, ce petit ton cérémonieux, cette voix de pédé...

L'idée lui parut si simple qu'elle se sentit immédiatement rassurée et décida de ne plus se faire souffrir : « Au diable juge, carabiniers, assassins... Je ne renoncerai pas à Michele, je n'ai peur de rien! »

Mais l'angoisse s'incrustait. Tout à coup, elle vit Michele passer dans le couloir. Elle courut vers la porte pour l'appeler; personne. Il s'était soudain volatilisé. Les leçons terminées, elle le retrouva sur les escaliers de la cour et s'approcha de lui mais il ne se retourna même pas, se fraya un chemin au milieu d'un groupe d'enfants et disparut. Il avait l'air très ennuyé. Elena pensa que l'état de sa mère s'était sans doute aggravé. Elle eut un instant la tentation de le suivre pour lui proposer de l'aide, mais il y avait trop de monde sur la place. « Il se sentirait compromis, mal à l'aise, il ne me le pardonnerait jamais... Un de ces jours, je veux pourtant le faire : l'embrasser au centre de cette place... Le maître Belcore déshonoré devant tout le pays... Et qui sait? Peut-être sera-t-il retrouvé mort une demi-heure plus tard! »

La grande assemblée populaire à laquelle devait participer le député Cataudella était fixée à dix-neuf heures. L'adjoint au maire Tuttobene était parti le matin à Palerme pour escorter l'homme politique. L'idée de devoir prononcer un discours sur les dramatiques nécessités du pays était un sujet d'angoisse supplémentaire qui dura tout l'après-midi. Elena essaya de se concentrer sur ce qu'elle devrait dire; elle se sentait terriblement lasse, les paupières lourdes, toute la fatigue des nuits précédentes semblait ressurgir. Elle chercha à lutter désespérément contre le sommeil en se préparant un grand bol de café noir, posa ses cigarettes devant elle et commença à prendre des notes pour mieux faire comprendre, tout à l'heure, au sous-secrétaire la tragédie de ce peuple.

Elle écrivit une dizaine de pages débordantes d'annotations et de ratures mais se sentait tout aussi découragée en constatant l'impuissance des mots. La conscience civique, les droits humains, l'ignorance des pauvres, ou la mortalité infantile... Quiconque pouvait sortir deux feuillets de sa poche et les lire en n'importe quelle occasion. Ces choses avaient été dites des dizaines d'autres fois mais rien n'avait changé. A un certain moment les idées se confondirent dans sa tête et elle ne put que fixer cet enchevêtrement de signes abstraits qui s'étalaient sur la page.

– Merde!

Elle déchira rageusement toutes les feuilles et alla se jeter sur le lit.

– Je lui dirai ce que je réussirai à penser sur place! Les mots viendront tout seuls.

Elle dormit comme une souche pendant trois heures et se réveilla alors qu'il faisait déjà nuit, encore plus malheureuse et épuisée qu'avant. Une réaction de colère spontanée l'incita à se laisser retomber sur le lit avec l'intention de se rendormir.

« Au diable le député et toute l'assemblée! J'en ai rien à foutre! Je n'arrive pas à me tenir debout et je dois aller faire un discours : les pauvres, les chômeurs! Qui les connaît? Qu'ils aillent au diable eux aussi! »

Cependant, elle se leva avec un soupir douloureux, but le café resté dans le bol, s'habilla et se coiffa, les yeux encore noyés dans le sommeil et la cigarette suspendue aux lèvres.

L'air glacé de la rue la réveilla d'un coup. Elle eut l'impression que ce soir il se passait quelque chose d'extraordinaire : les balcons de la mairie étaient illuminés, un grand drapeau avait été exposé et sur la place noire de monde, chacun se montrait très excité et anxieux.

Arrivée à la mairie elle réussit péniblement à s'ouvrir un passage parmi la multitude d'hommes et de femmes qui se pressaient devant la porte; un groupe de personnes l'accompagna, ou mieux la poussa jusqu'à la salle du conseil où attendaient le maire, les adjoints, les représentants des associations et une autre marée humaine de paysans, manœuvres, agriculteurs, ouvriers et maçons.

La nouvelle que les voitures étaient arrivées de Palerme se propagea en quelques minutes : de tout côté ce fut une précipitation désordonnée vers la Fiat blanche qui venait de s'arrêter devant la grande porte.

L'adjoint Tuttobene descendit le premier, envahi d'une incontrôlable émotion : les joues enflammées, les yeux brillants, il faisait une myriade de petits gestes superflus et il eut une attitude triomphale en ouvrant lui-même la porte arrière de la voiture. Un homme vêtu d'un pardessus noir en descendit accueilli par un tonnerre d'applaudissements : l'honorable préfet Cataudella. Il y eut une espèce de remous autour duquel les carabiniers tentèrent de faire cordon. Pendant un long moment ce furent les poignées de mains, les salutations, les présentations.

– Cher maire...

– Illustre député...
– Baciolemani...
– Les années ne passent pas...

Elena fut présentée personnellement par le maire au député Cataudella qui devait être très informé sur son compte car il lui serra longuement la main en ajoutant de nombreux signes approbateurs. En quelques secondes, Elena réussit à se faire un portrait du personnage : taille moyenne, sexagénaire, dents noircies de nicotine, cravate incolore sur un costume bleu, grosse tête grisonnante avec des lunettes à monture métallique; dans l'ensemble un aspect insignifiant mais il avait des yeux très noirs qui bougeaient tout le temps et une splendide voix sonore. Son rire seul couvrait déjà le tumulte. Sa capacité la plus extraordinaire était pourtant celle de se rappeler sans défaillance les noms de chacun et de parler avec tous à la fois.

Au milieu de ce grouillement de personnes qui cherchaient respectueusement à l'approcher le plus possible, il fut conduit jusqu'à l'estrade centrale où il resta presque une minute debout en agitant les bras afin de répondre aux applaudissements. Puis il s'installa, et tous l'imitèrent à grand fracas de chaises. A ce moment-là le maire Liolà s'avança, un peu haletant, pour lui adresser une allocution de bienvenue et conclure :

– Honorable sous-secrétaire, nous voyons en vous non seulement un haut représentant du gouvernement, mais aussi l'un des enfants de cette province. Nous avons été pendant des années dédaignés et oubliés mais à présent, cette population qui a foi en la démocratie, et qui l'a prouvé, s'en remet à vous. Nous vous confions nos espérances pour la solution des problèmes qui, depuis des décennies, nous font pauvres et négligés.

La vague d'applaudissements le fit presque vaciller. Il semblait vraiment ému et essayait d'avoir une expression dramatique en accord avec ce qu'il venait de dire mais n'y arrivait pas. Il finit par s'asseoir à côté d'Elena en laissant son regard flotter dans le vide. Le brouhaha s'apaisa quand le député Cataudella se leva et s'approcha du micro. Il attendit quelques secondes, la main enfoncée dans la poche et la tête penchée comme s'il réfléchissait intensément.

Elena pensa : « Il est en train de faire du théâtre. Voilà encore un député fils de putain. Il essaye d'abord de faire comprendre que les paroles du maire l'ont touché. Voyons maintenant comment il va réussir à les mener en bateau. Et ce troupeau d'abrutis qui le regardent bouche bée! »

Le député releva enfin la tête dans un petit mouvement de fierté et planta son regard sur le public. Il commença par parler doucement, avec une voix soumise, si bien que le moindre murmure s'éteignit dans la salle. Il parlait tristement, les yeux fixés sur le premier rang, donnant l'impression de s'adresser à chacun en particulier; puis il projeta son regard au fond de la salle comme pour tenter de reconnaître quelqu'un.

– La première fois que je vins faire un discours dans ce pays, une enfant me jeta une fleur de sa fenêtre et moi, je la ramassai. C'était un gage, une gentille promesse d'amitié... Le soir même, dans la fièvre de cette réunion où je riais encore, passionné et triomphal, je perdis cette fleur... Mais c'est comme si je la portais toujours à la boutonnière, plus précieuse et chère que n'importe quelle distinction...

Une première volée d'applaudissements. Le député Cataudella glissa deux doigts dans la poche de son gilet et ferma les yeux. « Mystification numéro un! » se dit Elena. Le député reprit la parole.

– En revenant ce soir dans ce pays...

Il avait un fort accent du terroir mais chacun de ses mots étaient justes, assurés, il prenait le temps de les choisir, les associait parfaitement. Ses bras étaient courts et ses mains petites mais il réussissait toutefois à dessiner dans le vide des gestes précis et essentiels. Il avait d'abord cherché à gagner la sympathie des personnes présentes et leur demandait maintenant leur confiance.

– En revenant ici, ce soir, et en redécouvrant les

contours solennels de cette cathédrale, je ressentais une étrange émotion et n'arrivais pas à comprendre si c'était de l'inquiétude ou de l'anxiété. Je n'ai su la vérité que plus tard, en voyant vos visages, en écoutant vos voix, en allant à la rencontre de vos mains tendues. C'était l'émotion de celui qui, après une si longue absence, revient chez lui et craint de ne pas être reconnu, mais tout de suite il retrouve le profil des lieux aimés, le regard des amis sincères... Voilà pourquoi, lorsque tout à l'heure, le maire Liolà parlait des problèmes qui font de cet endroit une région pauvre et oubliée, j'avais le cœur serré par l'émotion. Parce que ces problèmes sont aussi les miens.

Un autre long applaudissement éclata. Elena applaudit elle aussi. « Deuxième mystification presque parfaite! » Le député Cataudella leva une main vers la foule et attendit que le calme revienne.

– Vous m'avez appelé et je suis venu. Je sais que vous avez de graves problèmes et je suis ici pour les affronter avec vous. En tant qu'homme je vous apporte mon amitié fraternelle, en tant que politicien la garantie du gouvernement...

Il évoqua encore l'amitié qui le liait à certains d'entre eux ici présents, définit le pays de « pauvre mais fier » et « millénaire, malheureux mais intrépide », il eut aussi des phrases sentimentales comme :

– Un jour je ne serai plus de ce monde, mais le pays continuera d'exister car il est plus important que nous tous, aucun effort ni sacrifice ne devra nous paraître trop grand pourvu qu'il vive dans l'histoire...

Il enlevait ses lunettes et les tenait dans ses doigts à la façon d'un chef d'orchestre dirigeant une musique, glissait le pouce et l'index dans la pochette du gilet, s'éloignait du micro en élevant sa voix splendide, se lissait les moustaches, arrangeait ses cheveux, ses petites mains dessinaient les idées mieux que les mots. Il parvenait même à sourire avec les mains. Les spectateurs semblaient hypnotisés. Elena n'avait jamais pu imaginer qu'en employant le dialecte local, il soit possible de s'exprimer si admirablement. Pour la première fois, elle se trouvait en présence de quelqu'un qui réussissait à convaincre sans rien dire de précis. Il s'apprêtait à conclure :

– Combien de batailles avons-nous menées ensemble? Chaque fois que je viens dans ce petit mais glorieux pays, j'ai l'impression d'accéder à une tranchée de la démocratie et de me retrouver aux côtés de soldats forts et durs, compagnons silencieux et bons pour lesquels il n'est pas de bataille trop difficile. Nous nous sommes battus pour la liberté, maintenant nous continuons pour donner de la dignité à l'existence du citoyen. Je connais vos profondes exigences sociales et sachez qu'elles font partie intégrante du programme du gouvernement... Un logement décent pour tous, la transformation de l'agriculture, l'amélioration des pensions, la grande digue qui amènera l'eau dans les maisons et les campagnes : toutes ces œuvres de l'ingéniosité et du progrès qui serviront au développement du pays... Cet antique, orgueilleux, merveilleux pays!

Il avait fini. Un troisième grand applaudissement s'éleva. Elena écumait de colère : il n'avait rien dit et ce tas d'imbéciles allait lui embrasser les mains. Elle comprit que c'était le moment d'intervenir, encore trente secondes et ça n'aurait plus été possible : elle s'avança vers le centre de la salle en tapant violemment dans ses mains, et se mit à crier :

– Un instant, monsieur le député... encore un instant!

Elle vit confusément des têtes se tourner, quelqu'un qui essayait de faire taire les acclamations, et poursuivit brutalement :

– Nous avons écouté vos belles paroles... Merveilleux, orgueilleux pays avez-vous dit... et combien de choses extraordinaires vous annoncez! Un logement décent pour tous, une pension pour les paysans, l'eau dans les campagnes... je vois déjà cette petite ville resplendir d'immeubles et de fontaines, de campagnes luxuriantes et d'enfants heureux... Mais quand est-ce que ça arrivera? Quand?

Pendant les toutes premières secondes le député Cataudella ne comprit pas ce qui se passait; il avait probablement cru à un geste de remerciement et avait hoché la tête en souriant, mais le sarcasme avait tout de suite été si méprisant qu'il était subitement devenu très pâle, et avait tenté deux fois d'interrompre Elena. Il se laissa surtout impressionner par le silence imprévu dans lequel les paroles d'Elena roulaient, toujours plus violentes.

– Illustre député, avez-vous déjà eu l'occasion de parler avec ces hommes qui, au coucher du soleil, s'assoient devant leur porte comme des fantômes? Toutes les rues du pays sont peuplées de tels hommes : vieux et malades, qui ont passé leur vie à bêcher, moissonner, piocher, toute leur existence... Ils n'ont rien connu d'autre que cette vie de bête et maintenant qu'ils sont vieux, finis, ils ne peuvent qu'espérer la pitié des parents : jetés sur une chaise ou au fond d'un lit. N'avez-vous jamais cherché à connaître les pensées que ces hommes portent en eux, la douleur, la haine contre la société, le désespoir?

Elena eut un instant l'impression de ne pas pouvoir donner un ordre logique à ses mots, tellement ses idées se bousculaient.

– Monsieur, vous parlez de pays glorieux, de bons soldats dans leur tranchée, vous parlez de lutte pour la liberté de l'homme... Mais quelle liberté? Le malheureux forcé d'émigrer, le pauvre analphabète, le vieillard épuisé par de trop durs travaux... Quelle liberté? Que peuvent-ils en faire de la liberté?

Le silence était impressionnant. Elle s'avança encore de quelques pas et se sentit exaltée par le son de sa propre voix.

– Vous éprouvez certainement de l'amitié pour ce pays. Êtes-vous cependant déjà entré dans l'un de ces taudis, je veux dire avez-vous déjà vu huit, dix personnes dormir dans une même pièce? Des êtres qui vivent de façon inhumaine...

Le député Cataudella osa une résistance, un cri de protestation.

– Je connais très bien...

– Vous ne connaissez rien puisque ces choses font verser des larmes de sang!

– Mademoiselle, vous êtes en train de faire de la rhétorique...

– Je fais de la rhétorique parce que je parle de la misère humaine? Et vous, qui depuis une heure parlez de progrès, civilisation, traditions historiques?

Elle déversait les mots tels qu'ils venaient, passionnément, sans discontinuité, pour empêcher Cataudella de l'interrompre à nouveau.

– Illustre député, savez-vous combien d'enfants meurent chaque année du typhus, de la méningite, de la tuberculose? Savez-vous qu'il existe plus de cent enfants paralysés et que l'hôpital le plus proche se trouve à cinquante kilomètres? Ici il n'y a rien, rien!

Elle leva des poings tremblants vers lui.

– Et savez-vous comment c'est possible? Ça, vous devez nous l'expliquer! Vous dites très bien connaître... Quoi? Venez avec moi, honorable député, et je vous montrerai dans quelles conditions vit une famille entière dans une seule horrible pièce avec un trou au milieu! Sans eau pour boire ou se laver, des enfants entassés sur un même lit, la puanteur, les immondices... Comment pouvez-vous savoir cela et continuer à vivre, comment pouvez-vous continuer à sourire?

Un cri féroce retentit dans la foule mais s'arrêta net quand Elena avança encore d'un pas. Elle sentit qu'elle pouvait faire mettre cet homme en pièces.

– Alors, député Cataudella, si cette population est vraiment constituée d'hommes, je veux dire d'êtres humains, qui ont une dignité et ne sont plus disposés à se laisser traiter comme des bêtes... si cette population est enfin décidée à conquérir son droit de vie... Alors ça veut dire que tant que la loi spéciale ne sera pas approuvée, personne n'obtiendra plus un seul vote de cette région... Personne, personne : même pas vous!

L'applaudissement fut si violent que les dernières paroles d'Elena se perdirent dans le vacarme. Le député Cataudella avait peur. Il tenta de dominer la clameur.

– Mes amis, je comprends votre émotion... Mes amis...

Mais on ne comprit pas ce qu'il disait, des cris partaient de tous les côtés, il se sentait cerner par des milliers de mains et d'yeux grands ouverts, il entendit à peine la voix d'Elena :

– Vous avez cette loi spéciale dans vos dossiers depuis sept ans... Sept ans! Savez-vous combien d'enfants sont morts de maladies pendant ce temps-là? Combien d'hommes ont émigré, combien de douleur, mon Dieu! combien de douleur!...

Elle était si bouleversée que les mots lui manquèrent.

– Il nous faut cette loi!

Le reste se perdit dans le tumulte. On entendit la voix puissante du député Cataudella :

– Je prends l'engagement solennel... sur mon honneur...

Puis ce fut une sorte de chaos, on ne comprenait pas très bien si c'était une tentative de lynchage ou une conclusion triomphale. Des centaines de personnes serraient de tout côté Elena et le sous-secrétaire, les traînaient vers le bureau du maire. Elena était sur le point de suffoquer, ses yeux étaient congestionnés, ses cheveux en désordre, et dans cette marée humaine qui hurlait elle reconnut le visage enflammé du maire, le regard halluciné du docteur Sanguedolce, l'adjoint Tuttobene, très pâle, et puis au-dessus de cet océan de têtes noires, apparut un grand drapeau. Elena en fut si émue qu'elle se mit à pleurer.

Cette nuit-là elle aima Michele presque sans interruption, jusqu'à trois heures du matin. Elle se sentait pleine de force et de violence, de bonheur et d'orgueil. Elle lui tirait les cheveux, le mordait sauvagement, le griffait partout. Ce fut une lutte acharnée et mémorable. Michele réussit quand même à lui attraper les poignets et à la maintenir sous lui, les bras en croix, à lui ouvrir les jambes avec les siennes. Elena hurla de plaisir. Elle criait si fort que Michele se laissa aller sur elle en l'écrasant de tout son poids; alors elle se mit à pleurer. Les corps chauds et humides restèrent longtemps enlacés et immobiles. Michele lui sourit.

– Mademoiselle Vizzini, vous ne devriez pas vous conduire ainsi. Une femme aussi forte et arrogante que vous! D'abord vous vous mettez à crier, frapper, il faudrait une camisole de force... Et puis vous finissez par gémir comme un petit oiseau... Qu'en penseraient les habitants que vous conduisez à la révolte?

Trop heureuse pour se fâcher, Elena se limita à un grognement plus tendre que menaçant. Elle avait l'impression de flotter sur l'eau, lentement aspirée vers les profondeurs et entendit à peine Michele se rhabiller, se pencher sur elle pour l'embrasser. « Il ne m'a rien demandé sur ce qui s'était passé. Cet homme est une bête, il me rend folle et je ne peux même pas me défendre... »

9

Autour d'Elena, tout arriva à une rapidité incroyable. Les personnages ressemblaient à des chevaux de foire qui tournaient toujours plus vite. En attendant, la journée s'annonçait claire et sans nuages, avec seulement la lumière blanche et bleue du soleil; mais un vent inattendu secoua les vieux lauriers et les géraniums des fenêtres, fit voler des feuilles mortes, des brins de paille et des papiers le long de la grand-rue. Ce vent donnait l'impression que tout allait très vite.

Des nouvelles de Palerme arrivèrent dans la matinée : le sous-secrétaire Cataudella avait représenté, en requête urgente au Parlement, le projet de loi spéciale signé par quinze autres députés siciliens. Suivirent de nombreux télégrammes dans lesquels les mêmes députés confirmaient leur engagement politique à présenter au Parlement les droits et les dramatiques nécessités du pays. Les nouvelles se succédaient comme l'éclair.

Pendant la récréation, Elena fut demandée au téléphone : le sous-secrétaire Cataudella lui annonçait qu'au cours de l'après-midi le ministère aurait sûrement accordé l'autorisation de commencer les travaux. Elle revint dans sa classe en courant : la récréation était terminée mais elle les trouva tous dans la cour en train d'attendre. Elèves et enseignants vinrent à sa rencontre de tout côté, chacun voulait savoir. Des dizaines d'enfants firent une ronde autour d'elle et montèrent ensemble l'escalier central au sommet duquel s'étaient groupés les maîtres et le directeur Battaglia qui, ne portant pas de chapeau, retira ses lunettes et les leva dans un geste de triomphe.

– Nous avons gagné, mademoiselle Vizzini!

Une vieille institutrice embrassa Elena et fondit en larmes, il y eut un long applaudissement, le directeur demanda aux enfants un triple hourra. Elena aurait voulu ressentir le côté ridicule de la situation mais elle était en fin de compte envahie par une forte excitation et riait continuellement. C'était pourtant vrai qu'une révolution éclatait au pays et qu'elle en avait été l'instigatrice! Trop émue, elle fit une chose qu'à un autre moment elle aurait jugée grotesque : elle prit une toute petite fille en tablier blanc dans ses bras et marcha vers sa classe en serrant sa tête contre la sienne.

L'après-midi elle se rendit à la mairie. La grand-rue était noire de monde et devant le salon de coiffure pour hommes il y avait ces trois barbiers joueurs de mandoline : le vieil homme chauve, l'adolescent aux cheveux rouges et le jeune homme aux lèvres de femme. Quand Elena passa devant eux, ils la suivirent en musique comme s'ils étaient chargés de lui rendre hommage. Elena avançait sans se retourner et eux derrière elle à pas feutrés, la tête chauve de l'aîné penchée sur son instrument, le plus jeune, hilare, et le troisième l'accompagnant d'un langoureux pas de danse.

Les gens saluaient joyeusement et Elena se mit à rire avec eux. « Ah les canailles! Les salauds... »

Ils l'escortèrent jusqu'à la place. Un grand drapeau recouvrait le balcon de la mairie et un autre flottait sur la coupole de l'Annunziata. Avant d'entrer à l'hôtel de ville, Elena prétexta la restitution de quelques livres à l'avocat Bellocampo qu'elle était très curieuse de rencontrer.

En gravissant les marches du grand escalier blanc, elle avait l'impression d'entrer dans une autre dimension. Elle entendit le bruit sourd de la porte principale qui se refermait dans son dos et tout ce qui, jusque-là, avait été réel et vivant, s'effondra subitement derrière elle. Comme toujours, Elena trouva l'avocat Bellocampo dans son bureau mais il avait l'air malade, le teint encore plus diaphane qu'avant, avec un voile imperceptible dans les yeux. En la voyant apparaître, il eut un sourire heureux et lui prit la main pour la conduire au grand fauteuil. Il lui demanda ce qu'elle pensait des livres qu'elle avait lus et dit tout à coup :

– Je voudrais vous présenter quelqu'un.

Un enfant de onze ou douze ans avait ouvert la porte du fond : des pantalons courts, une chemise blanche, très pâle, des cheveux blonds coiffés très soigneusement avec une raie au milieu; il vint directement vers Elena et lui tendit la main dans une petite révérence :

– Bonjour, comment allez-vous?

Le vieillard avait suivi chacun de ses pas avec ravissement.

– C'est Giuliano, le fils de ma fille Giovanna.

C'était la première fois que le vieux Bellocampo parlait de sa mystérieuse fille que personne n'avait plus vue depuis tant d'années. Il posa la main sur l'épaule de l'enfant et Elena remarqua la douceur du geste, comme s'il craignait de faner ce corps fragile.

– Il est venu passer deux semaines dans la vieille maison de son grand-père.

Il pencha la tête pour le regarder.

– Tu ne t'ennuieras pas, n'est-ce pas?

L'enfant lui sourit gentiment.

– Sûrement pas.

Il s'assit au bord du divan et les suivit des yeux avec un sourire bien élevé, tout le temps qu'Elena et Bellocampo choisirent quelques livres dans les rayons de la bibliothèque. De temps en temps il faisait un petit mouvement pour dégager ses cheveux du front et quand Elena se tournait vers lui, il souriait avec un regard indéchiffrable qui semblait la juger.

– C'est un très bel enfant.

Elle avait parlé à voix basse et le vieux Bellocampo approuva :

– Oui, il est très beau!

– Et vous l'aimez beaucoup?

Au lieu de répondre, Bellocampo s'adressa à lui-même.

– Un jour cet enfant sera maître de tout ce qui appartient à la famille Bellocampo.

Elena pensa à la ferme enfouie dans la vallée et aux paysans Lolicata qui s'inclinaient en silence devant cet enfant. Elle l'imagina assis derrière les vitres du bureau désert, ou bien marchant seul sur les pierres et dans le vent du haut plateau.

– Voudra-t-il rester dans ce pays? Y vivre pour toujours?

Cette fois encore le vieux ne répondit pas directement à la question. Il regarda l'enfant.

– Vous ne pouvez pas comprendre, mademoiselle, ce garçon ressemble étonnamment à mon frère Luigi lorsqu'il avait son âge : le même visage délicat, les mêmes yeux, la couleur des cheveux... Mon frère était né pour dominer, il faisait chaque chose mieux que quiconque. Quand il fallait lutter contre d'autres enfants, il se battait jusqu'au bout à coups de poings et de cailloux. A quarante ans il eut en main une province entière.

– Oui, mais les habitants ont traîné son corps sur la place...

L'interruption d'Elena fut si brutale que le vieil homme la contempla un instant avec incrédulité.

– Vous avez raison... A la fin, c'est ce qui arriva.

Elena lui prit doucement la main et Bellocampo tressaillit. L'enfant fut lui aussi surpris par la tendresse de ce geste. Le vieil homme sourit.

– Ne vous donnez pas la peine, mademoiselle, je suis vieux et j'oublie ce qui s'est réellement passé.

Quelque chose s'était brisé entre eux. Elena aurait voulu y remédier mais ils gardèrent le silence, derrière la grande fenêtre, les yeux fixés sur la place de plus en plus dense. Les marches de la cathédrale s'emplissaient à vue d'œil. Elena eut un geste un peu gauche.

– Ils attendent la révolution...

Bellocampo ne semblait pas avoir entendu. Il la regarda avec un sourire interrogateur et prit sur son bureau le livre qu'elle avait choisi.

– Ne l'oubliez pas, ce sont des histoires siciliennes, des contes... Nos légendes sont les plus belles du monde!

Il avait l'air fasciné par le spectacle de cette foule immobile.

– Une révolution signifie abattre des règles pour les substituer à d'autres. N'est-ce pas ainsi, mademoiselle?

– Exactement. Abattre les règles mal fondées.

Cette fois-ci Bellocampo continua à parler comme s'il n'avait même pas entendu le son de sa voix.

– Cependant, les règles, les droits, les codes, la politique, les syndicats... toutes ces lois inventées par les hommes pour vivre ensemble... ne sont ici qu'un jeu... en réalité elles n'existent pas. Comment peut-on abattre quelque chose qui n'existe pas?

– Alors ces gens, dehors, n'existent pas non plus? Tous morts, la société, les hommes...

Bellocampo fixait la place en silence et Elena eut un élan de colère.

– Un jour ou l'autre, les règles du monde arriveront même ici!

– Jamais!

Il prononça ce mot tranchant avec une voix soumise, puis il frotta lentement la vitre qui s'était embuée.

– Dans ce pays on a l'impression que rien n'arrive jamais : les gens attendent sans bouger, les hommes en rang le long des trottoirs, les femmes derrière les persiennes des maisons... La vérité c'est qu'ici tout se passe à l'intérieur des êtres, dans leur âme. Ils sont inertes mais leurs âmes vivent une vie sans pareil!

Elena eut la sensation que Bellocampo riait secrètement. Son regard était toujours concentré sur cette foule engourdie.

– Prenez un homme quelconque. Regardez-le : immobile sur sa chaise, il écoute, observe et dit de temps en temps quelque chose. Mais si vous pouviez voir au-dedans de lui... quel torrent de désirs et de passions! Quelle finesse et perfidie de raisonnements, colère, haine, violence... Quelle subtile patience! Et les rêves? Chaque jour il s'éveille pour recommencer à rêver...

Elena ne comprenait pas le sens obscur du discours, elle comprenait seulement que le vieux Bellocampo suivait une pensée intime.

– Et maintenant ils attendent! Ils ont tous l'air d'attendre la même chose, la révolution... En fait, chacun d'eux attend quelque chose de différent.

On entendit un triomphal son de cloches. Ce devait être celles de l'église San Michele. Le clocher de la cathédrale renvoya lui aussi des sons espacés : la foule semblait secouée d'un frisson, le fébrile éveil d'une fourmilière. Bellocampo parut se réveiller à son tour. Il eut un drôle de sourire.

– La révolution commence.

La visite se conclut avec l'habituel et pathétique cérémonial. Bellocampo l'accompagna jusqu'au grand escalier central, s'arrêta sur le palier en souriant et garda la main de l'enfant dans la sienne jusqu'à ce qu'Elena soit sortie. Le vent avait redoublé d'intensité. Il s'engouffrait dans la grand-rue en faisant s'envoler l'immense drapeau. Le maire apparut dans ce vent, à la tête d'un cortège, et vint à la rencontre d'Elena en gesticulant pour lui annoncer que le ministère avait enfin donné son accord au grand projet.

L'hôtel de ville était plein de monde et les télégrammes continuaient d'arriver. Le sous-secrétaire téléphona personnellement : il voulut parler avec Elena, présidente du comité. Sa voix était éclatante : il annonçait que le lendemain, la loi spéciale serait examinée au Parlement. Il donna un bref message pour la population qui disait entre autres que « la justice était enfin rendue à un peuple séculaire et généreux » et que « la ténacité, l'humble patience et les vertus humanitaires étaient enfin récompensées ».

Au milieu de la foule qui se pressait autour du téléphone, le maire renversa la paume de sa main en l'air :

– Dans trois jours, le destin de ce pays va changer!

Cette nuit aussi Elena fit l'amour avec Michele jusqu'à l'épuisement. Trois fois elle fut à bout de forces mais un baiser plus intense suffisait à réveiller son désir. Michele la regardait en accompagnant ses caresses de murmures. Elle lui avait demandé anxieusement :

– Qu'est-ce que tu dis? Je veux savoir ce que tu dis...

Il n'avait pas répondu, savourant son plaisir avec des sursauts d'orgueil. Il avait même voulu voir le moment où il la pénétrait, fasciné par le spectacle de son propre acte d'amour, il regardait son sexe disparaître lentement et rien ne pouvait plus freiner son plaisir. Il n'avait même plus la force de soulever les paupières. Elena aurait voulu parler avec lui, demander une infinité de choses, essayer de comprendre, ensemble, tout ce qui se passait. Elle ne sut que dire dans un filet de voix :

– Mais toi, Michele, tu as toujours fait l'amour de cette façon... avec les autres femmes aussi?

Elle l'entendit rire dans l'obscurité. Belcore, le bâtard, était-ce possible qu'il n'ait jamais rien à dire? Elle se pelotonna contre lui et ils restèrent longtemps dans cet état de torpeur. L'horloge de l'Annunziata sonna vingt-deux heures. On entendait des voix et des pas dans les sombres rues de la petite ville : Elena se leva pour attiser le feu de cheminée, y fit griller quelques tranches de pain blanc qu'ils mangèrent avec du saucisson; puis elle prépara une cafetière qu'elle posa sur les tisons. Pendant tout ce temps elle avait ruminé des insultes avec une irrésistible envie de pleurer. Elle regarda Michele étendu sur le lit et lui lança sur un ton de défi :

– Tu ne dis jamais rien, jamais rien...

– Et que devrais-je dire?

Son envie de pleurer se mua en paroles :

– Te rends-tu compte, Michele, qu'on n'a jamais réussi à parler une seule fois! Vraiment parler! J'ai besoin de savoir des tas de choses sur toi... Nom d'un chien! Tu viens ici, on n'a même pas le temps de se regarder et tout de suite on se déshabille, on se jette l'un sur l'autre, on change de position et on recommence; on a essayé toutes les façons possibles... A la fin je ne peux même plus remuer la langue! Est-ce le genre de rapport qui doit exister entre un homme et une femme?

Michele s'étira dans sa nudité avec un grognement satisfait.

– L'unique possible... Non?

Son regard était langoureux et moqueur.

– Viens ici, Elena...

Elle lui lança un peigne, mais il eut un autre grognement et répliqua, en sourdine :

– Viens, ce soir on repasse toutes les positions déjà essayées...

Son membre vibrait légèrement au-dessus de son ventre. Elena lui jeta une serviette, pour le recouvrir.

– Non, je ne veux pas...

Elle prit une couverture et s'installa à l'autre bout de la pièce.

– Je veux parler avec toi... Michele, tu ne comprends pas que j'ai besoin de te parler? Qu'est-ce qui se passe? Qui assassine tous ces gens?

– Moi, je n'en sais rien. C'est toi qui devrais le savoir.

Elle le fixa quelques instants en silence. Avec haine. Il était détendu, nu, les mains collées derrière la nuque, la cigarette aux lèvres, les jambes un peu entrouvertes... Elena ferma les yeux.

– Michele, ils veulent faire une espèce de révolution... Mais ils m'y ont mêlée... Qui croient-ils que je sois?

– Laisse tomber, envoie-les au diable! Quand ils se montreront, tu leur diras : « Allez au diable! »

Cette fois Elena se mit à crier.

– Mais tu ne te rends pas compte? Ils croient que c'est

moi qui ai fait tuer ces trois hommes, et peut-être même le professeur Spadafora... Ils sont persuadés de ma toute-puissance : je lève le doigt et les adversaires tombent morts.

– D'accord! Envoie-les au diable...

– Ce n'est pas possible! Ce n'est plus possible!

– Pourquoi pas? Qu'est-ce que tu peux changer ici? Qu'est-ce que ça peut te faire? A la fin, tout deviendra une farce.

Elena rouvrit les yeux et le vit dans la même position, avec le même sourire ironique. Elle pensa : « Dans quelques minutes on fera l'amour et moi j'oublierai tout... La révolution, les assassinats... »

Elle eut la tentation de se jeter sur lui mais elle se leva brusquement et alla droit vers la fenêtre en s'enroulant dans la couverture. Une pluie très fine tombait et le reflet des lampes électriques créait un halo dans la nuit. Les sombres contours du pays, les toits, le clocher, la lointaine coupole de l'Annunziata, tout semblait plongé dans une transparence d'aquarium. Elena colla son front à la vitre.

– Michele, je t'aime! Mais toi, comment peux-tu vivre ici sans te révolter?

– Qu'est-ce que ça veut dire se révolter?

– Tu le sais : voir la douleur des autres, leur humiliation... Ils sont ignorants, misérables.. Ne vois-tu pas qu'ils vivent comme des bêtes?

– Et c'est moi qui devrais les sauver? Tu me l'as déjà dit... Faire quelque chose, lutter. C'est ça se révolter?

– Oui, ça!

Elle l'entendit remuer dans le lit, allumer une autre cigarette, et s'étirer paresseusement. Il lâcha un soupir de satisfaction.

– Tu ne veux pas comprendre ni admettre la vérité! La vérité c'est que ce pays est mort, il n'y a plus d'espoir. Comment peut-on lutter pour quelque chose de mort? Les hommes les plus pauvres et les jeunes sont partis, ou s'en iront. Il ne reste que ceux qui y vivent contents.

L'obscurité gagnait la chambre. Elena retourna s'asseoir près de Michele et s'allongea sur ses jambes. Il n'avait pas bougé, toujours les mains derrière la nuque, les cuisses entrouvertes, au milieu desquelles se dressait un membre turgescent. Elena se pencha et laissa courir ses lèvres dessus : il était chaud. Elle fut tentée de le mordre mais se releva en criant :

– Enlève ça d'ici!

Elle le frappa d'un revers de main.

– Enlève-le!

Michele ramassa ses genoux sur la poitrine et eut un pauvre sourire. Elena s'enveloppa à nouveau dans la couverture et continua de crier :

– D'accord, ce pays est mort! Mais tu es content d'y rester? Je veux savoir, moi... J'ai le droit de savoir!

Elle retourna à la fenêtre le front sur la vitre. Dehors, la nuit était profonde. Elle répéta :

– Je veux savoir, je veux savoir!

Un besoin fou de pleurer l'envahit mais elle serra les dents.

– Parce que je t'aime, tu comprends? Je ne sais pas pour quelle raison, peut-être pour ta bonté, ta tristesse, ta gentillesse aussi, tu souris tout le temps et tu es fort comme un loup, je ne savais pas qu'on pouvait éprouver autant de plaisir... Voilà, je ne sais pas... Mais je t'aime Michele, je veux vivre avec toi... Une femme a le droit de garder cet espoir, c'est pourquoi je veux savoir comment tu vis... Comment je pourrais vivre...

Elle revint s'asseoir au bord du lit.

– Tu dis que ce pays est mort... Comment un endroit où vivent des milliers d'enfants peut-il être mort? Tu es instituteur, les as-tu vus dans leurs taudis? Comment ne peux-tu pas ressentir de pitié? Au moins ça, Michele...

Elle chercha dans les draps la main de Michele et la serra de toutes ses forces. Il se mit à parler calmement dans l'ombre. Elena pensa : « Alors c'est vraiment le diable, il se moque de moi... » Pourtant cette voix l'enchantait.

– Un homme qui naît dans ce pays doit, à un certain moment de sa vie, faire un choix. Il a trois possibilités. Avant tout partir, s'en aller dans un autre endroit de la terre, Milan, l'Allemagne, l'Australie, abandonner pour toujours ce qu'il a connu, sa maison, ses parents, ses amis... tout. Il creuse un trou et y enfouit tout ça, même les photos, les livres, les souvenirs... C'est comme mourir deux fois...

Elena serra la main de Michele mais celle-ci semblait morte. « J'aimerais qu'il pleure... » Mais la voix de Michele continua tranquille et mystérieuse.

– La deuxième solution est encore plus difficile : rester dans ce pays misérable et tenter de le conquérir, c'est-à-dire y vivre au moins en maître... tu t'inscris à un parti politique, tu deviens l'ami et l'allié des plus forts, tu prends tout ce qu'il y a à prendre par n'importe quel moyen, la duperie, l'amitié, la violence...

– Même le meurtre?

– Même le meurtre. C'est ainsi depuis des centaines d'années. A chaque génération beaucoup d'hommes font ce choix. Enfin il y a la troisième solution...

Elle l'entendit remuer, se caler plus profondément dans le lit. Sa voix devint plus sourde et Elena eut la certitude qu'il souriait dans le noir.

– Enfin il y a la troisième solution, celle de rester parmi toutes ces choses qui constituent ta petite vie : ce pays qui agonise, ces vieilles maisons, la pauvreté et l'ignorance... mais aussi les amis, les habitudes, la famille... et se faire une niche dans tout ça, y rester, s'y réfugier, se contenter, vivre simplement... Le monde passe loin de toi avec tout ce qu'il a de fascinant et de sanguinaire, mais tu ne fais que le deviner sans même savoir comment il est... Enfermé dans ta niche, comme ça jusqu'à la fin...

La main de Michele l'attirait. Elena le couvrit doucement avec son corps, descendit les lèvres sur son ventre et chercha délicatement son sexe redevenu petit et inerte, mais il recommençait à vibrer. Michele gémit comme s'il éprouvait de la douleur et Elena fit glisser ses lèvres jusqu'aux siennes, l'enserra entre ses jambes et attendit, tremblante. Elle aussi émit une petite plainte lorsqu'il la pénétra lentement.

Elle dit une chose qu'elle n'aurait peut-être jamais voulu dire :

– Michele, j'ai longtemps espéré que ce soit toi qui aies tué ces hommes! C'est terrible, mais j'ai vraiment espéré que tu sois capable de ça, pour moi...

Elle était restée presqu'en équilibre au-dessus de lui, pour le regarder en face; mais elle le vit immobile, les paupières closes, la langue tremblante entre les dents. Doucement, elle s'enfonça sur lui et sentit le plaisir affluer lentement, tendrement. De ses lèvres, elle caressait ses yeux, sa bouche, et lui parlait :

– Oui, oui... prends ton temps, Michele... maintenant on est seuls, toi et moi, mon amour, mon amour... rien que toi et moi.. rien d'autre n'existe... sens cette douceur... oui, oui, oui...

10

Elena se réveilla un quart d'heure avant minuit avec une angoissante sensation de chaleur et de soif. Elle but longuement, ouvrit la fenêtre : c'était une nuit d'automne. Un linceul de brouillard sombre s'immobilisait sur la vallée; les contours de la cathédrale apparaissaient à peine comme une phosphorescence dans l'obscurité. Les mandolines des barbiers semblaient très lointaines. Encore une fois, Elena constata avec tristesse la solitude qui l'étouffait. Ces mandolines étaient peut-être la seule chose vivante du pays.

Elle s'emmitoufla dans la couverture et fuma sur le balcon en imaginant Michele dormant nu, la respiration lourde, les jambes écartées et les mains croisées sur le pubis. Elle se représenta cette chose noire entre ses cuisses qu'il protégeait dans son sommeil. Une idée furieuse lui passa par la tête : la trancher à l'aide d'une tenaille et traîner ainsi Michele sur le lit. « Peut-être qu'ensuite je la couvrirai de baisers et la ferai redevenir douce et triomphante. Cette chose est mon maître! » Elle se mit à rire, jeta sa cigarette dans la nuit et cracha derrière : « Je suis vraiment en train d'utiliser les manières d'une putain! »

Le vieux quartier de San Berillo à Catane lui revint en mémoire, celui où vivaient les prostituées de la ville, les rues étroites et profondes, un enchevêtrement de balcons noirs derrière lesquels se nichaient des centaines de femmes : elles travaillaient toute la nuit et s'endormaient à l'aube, alors les rues devenaient vides. Elle éprouva l'irrésistible désir de sortir.

Elle enfila son pantalon et son vieux caban, noua ses cheveux sur la nuque avec un lacet de cuir et enfouit le paquet de cigarettes dans sa poche. La place était déserte; les joueurs de mandoline avaient disparu. Lentement, elle suivit le trottoir jusqu'à la cathédrale; là, elle sentit une présence quelque part, sans bien réussir à comprendre : quelque chose qui se déplaçait, peut-être un chien.

Elle s'arrêta et regarda tout autour : les rues, les coins sombres, les colonnes. Personne. Portes, fenêtres et balcons fermés. Elle n'osait cependant pas faire un pas, absolument sûre que quelqu'un la guettait dans l'ombre. Peut-être ce petit homme dégoûtant? La peur se transforma en répulsion, elle en eut un élan de colère envers elle-même : « Je n'aurais pas dû sortir, je suis folle! »

Elle se dirigea vers l'église, s'engagea dans la ruelle et se mit à courir jusqu'à la maison. Une fois derrière la porte d'entrée, elle retint sa respiration pour écouter si quelqu'un l'avait suivie, puis tira doucement le verrou. Elle alluma la lumière de l'escalier et fut frappée de terreur, comme si elle venait de poser la main sur un reptile : l'homme était là, dans le coin de l'escalier, à trois mètres, petit, noir, les yeux écarquillés.

Elle se jeta contre le mur et le vit bondir, exactement comme la tête d'un serpent, un petit saut en avant vibrant dans tout le corps. Il dit quelques mots inaudibles, s'élança vers la porte d'entrée, l'ouvrit brutalement et s'enfuit.

Elena, tout à coup privée de forces, se laissa tomber sur les genoux. Mais une pensée foudroyante lui vint à l'esprit : « Je dois savoir qui est cet homme... Il peut me tuer quand il le veut... Je dois savoir qui il est! »

Sous l'emprise de cette idée désespérée, elle courut jusqu'au coin de la place où elle dut s'arrêter pour ne pas suffoquer. Elle le vit monter les dernières marches du parvis et disparaître dans la cathédrale. Tout de suite après, elle eut une apparition : le chanoine franchissait le porche et commençait à descendre lentement l'escalier. Il était enveloppé dans une espèce d'immense cape noire et en voyant Elena immobile devant lui, il eut un sursaut d'effroi. La tête enfonçée dans le col, il la scruta sans pouvoir se convaincre que c'était bien elle. Puis la frayeur fit place à l'éternel sourire pieux.

– Mademoiselle Vizzini, à cette heure-ci?

– Je n'avais pas sommeil...

– Ah, mon Dieu, moi je suis vieux au contraire, le sommeil l'emporte.

– Mon père, qui est l'homme qui vient d'entrer?

Des rafales de vent s'étaient levées en faisant s'envoler les cheveux d'Elena et la cape du chanoine.

– Vous ne le connaissez vraiment pas?

La voix du prêtre devint étrange.

– Son nom est Paolo Buscemi, mais tout le monde l'appelle Piturru... Savez-vous ce que signifie Piturru?

– Non, qu'est-ce que ça veut dire?

Le chanoine descendit les dernières marches qui le séparaient d'Elena. Sa peur s'était transformée en méfiance, il se blottit un peu plus dans sa cape.

– Ça veut dire l'ignorant, l'idiot, le dernier des hommes, celui qui ne sait ni lire ni écrire, n'ayant affaire qu'aux animaux.

– Et que vient faire ce Piturru, la nuit, dans l'église?

– Je l'aide, mademoiselle, une œuvre de charité.

Il la prit gentiment par le bras en traversant la place.

– Paolo Buscemi est si pauvre que les trois balayeurs de la commune lui donnent deux cents lires chacun pour que la nuit il balaye la grand-rue à leur place. Une espèce de serviteur personnel des balayeurs. Et moi je lui donne trois cents autres lires pour qu'il astique le sol de la cathédrale, il balaye aussi les porches et les marches de l'autel... Piturru est le travailleur le plus ponctuel qui soit, même s'il pleut ou s'il neige, chaque nuit, il fait son travail. Heureux les simples d'esprit! Vous ne lisez pas l'Évangile?

– Vous pensez que je devrais?
– Tous les êtres humains le devraient.
– Et ceux qui ne savent pas lire? Comment font-ils?
– Oui, comment font-ils? Le Seigneur sera indulgent avec eux.

Ses lèvres ébauchèrent un léger sourire. Elena eut un frisson. C'était absurde mais le chanoine avait le même sourire que Michele et Bellocampo. Ils se regardèrent quelques instants, le chanoine releva son écharpe sur le nez, comme s'il voulait cacher ce sourire.

– Puis-je vous être utile en quelque chose?
– En rien, mon père, merci!
– Bonne nuit.
– Bonne nuit.

Elena le vit disparaître dans une ruelle. Elle se retourna vers l'église, mais le portail était déjà fermé. Les escaliers déserts évoquaient une scène étrange, claire et parfaite comme une vision. La place vide fouettée par la pluie et le vent. Oui, ce fut vraiment une terrible nuit d'orage... Dans l'ombre des colonnes : Paolo Buscemi était là, avec le balai et les serpillères... Soudain un homme sans visage avance sur la place en poussant une grosse moto noire sur laquelle sont ligotés deux cadavres. La moto reste au milieu de la place, le moteur tourne à vide, et l'homme disparaît. Paolo Buscemi s'est déjà volatilisé dans l'ombre. Il a seulement oublié son vieux béret près d'une colonne.

« Parfait, pensa Elena. Parfait, parfait, parfait! »

Elle serra énergiquement son poing et donna un coup contre la balustrade. « Cet homme me cherche pour me dire ce qu'il a vu... c'est si simple! Il est le seul à connaître les assassins... Je ne sais pas pourquoi, mais je crois qu'il veut me dire ce qu'il a vu. »

Elle monta l'escalier en courant, essaya d'ouvrir le portail, frappa du poing, contourna rapidement la cathédrale mais la petite porte arrière était aussi verrouillée. Finalement elle s'assit sur un banc de la place, face à l'édifice.

« C'est inutile, il s'est sauvé. »

Elle était si fatiguée que sa tête retomba deux fois sur sa poitrine. Le sommeil lui dévorait les yeux et l'empêchait de suivre ses pensées. Arrivée dans sa chambre, elle eut à peine la force de se déshabiller et tout juste celle de se jeter sur le lit, dans une obscurité complète, en tirant la couverture dans un geste de semi-conscience. Elle retrouva avec plaisir le creux encore tiède laissé tout à l'heure par Michele et s'y blottit doucement. Une rude journée : elle avait fait l'amour comme jamais; la révolte du pays courait vers une fantastique conclusion; elle avait découvert qui était Paolo Piturru et ce petit diable d'homme devenait peut-être la clé du mystère.

« Il a vu les assassins... il a vu les assassins... »

Elle essaya de se tenir éveillée en se concentrant sur les objets qui l'entouraient mais ses pensées se superposaient : elles ressemblaient à des films projetés en même temps. Elle s'endormit d'une traite et les images se séparèrent miraculeusement pour enfin disparaître.

Son rêve lui renvoya une fête. Il faisait nuit : la place déserte était entourée d'ampoules colorées et de petits drapeaux qui battaient dans le vent. Au centre de la scène, sous une pluie battante, il y avait les corps de trois hommes assassinés. Le pays entier semblait désert, mais du fond de la grand-rue, silencieusement, au milieu de deux rangées de femmes agenouillées, on voyait avancer un autel avec des milliers de petits cierges; toutes les femmes avaient la tête de Paolo Buscemi, même la vierge de bois avait son visage, et Jésus sur ses genoux, petit et laid, était la réplique exacte de Paolo Buscemi. Derrière, suivait un cortège d'enfants, Michele au milieu, pâle et souriant, veste noire, cravate et chapeau noir, mais à partir du nombril il était nu, avec son sexe en érection qui ondoyait à chaque pas. Michele le protégeait avec une ombrelle de satin blanc, comme si c'était une vénérable relique. A son passage, les femmes envoyaient des baisers, et devant le cercle, les notables s'inclinaient en souriant, leur chapeau à la main; le professeur Spadafora se tenait devant les autres avec une coupe de Spumante. La procession glissait sur une eau invisible et la grand-rue redevenait vide avec ses mille petites lumières multicolores et des confettis qui s'envolaient dans la nuit; au loin, apparaissait l'avocat Bellocampo tenant son petit-fils par la main; le vieillard souriant et l'enfant triste marchaient lentement vers la place qu'ils n'atteignaient jamais...

11

Le soleil était déjà haut quand Elena fut réveillée par le tintamarre de la fanfare qui traversait la place.

Elle s'assit sur le lit et ouvrit les yeux : il était sept heures. « Je dois parler à Paolo Piturru... », pensa-t-elle avant tout.

Comme d'habitude, elle se dénuda complètement pour sa toilette puis resta quelques secondes devant la glace en tremblant de froid; elle caressa le bout de ses seins, peigna délicatement les poils du pubis avec ses ongles et eut un frisson. Un méchant sourire assombrit son regard. « Aujourd'hui... bataille sur toute la ligne! »

Pieds nus, elle prépara le café, alluma sa première cigarette et réunit les livres d'école à emporter. Elle s'arrêta devant le miroir, passa une main sur ses hanches et les fit ondoyer. « Elles sont larges et belles... Je veux sentir cet homme mourir sous moi! Bâtard de Belcore, qu'est-ce que tu crois... Tu ne me connais pas encore! »

Elle commença à enfiler sa jupe, le pull-over, les bottillons. La fanfare repassa en jouant une marche triomphale. « Écoutez la révolution avancer... Si la loi n'est pas approuvée ils feront de cette fête un massacre. En une nuit, ils brûleront tout le pays! »

En quelques heures, avant la fin des leçons, Elena avait réussi à obtenir un portrait presque parfait de Paolo Buscemi. Il lui avait suffi de demander autour d'elle.

Beaucoup paraissaient amusés en parlant de Piturru, d'autres se mettaient carrément à rire. Tout le monde le connaissait, les instituteurs, le concierge, les écoliers : c'était incroyable combien cette espèce de misérable pygmée était populaire. A les entendre rire et s'esclaffer, son personnage provoquait la joie plutôt que la pitié.

Pour commencer, Paolo Buscemi était sûrement l'homme le plus pauvre de toute la région. Son degré de misère était tellement désespéré qu'il en devenait grotesque. Il était l'incarnation du concept même de pauvreté. Peut-être à cause de sa petite taille, de cette tête minuscule foisonnante de cheveux gris, il semblait vieux, mais il n'avait en réalité que trente-six ans.

Il s'était marié à dix-huit ans avec une paysanne de quinze ans nommée Margherita, petite elle aussi, brune, triste et analphabète. On aurait pu la prendre pour sa sœur. Ensemble, ils eurent onze enfants dont cinq moururent. Les autres, trois garçons et trois filles, leur ressemblaient de façon impressionnante : minuscules, rachitiques, sombres, une petite tête ronde et des yeux de poix.

Piturru habitait un taudis à la limite du quartier Fiumara et ne possédait rien, pas même une poignée de terre. Il était disponible pour tous les travaux de campagne, où il emmenait toujours sa ribambelle d'enfants derrière lui : déblayer les pierres, cueillir les olives, conduire les bêtes, transporter de l'engrais, bêcher, moissonner, ramasser des brindilles. Petit et menu comme il l'était, il avait du mal à faire même les travaux les plus humbles c'est pourquoi, à l'occasion, on le payait au forfait, par exemple mille lires pour chaque tonne de fumier ou une cargaison d'olives. Ses cinq enfants étaient morts dévorés par le typhus, la tuberculose et l'engrais chimique qu'ils chargeaient avec leurs mains pour l'aider.

Pourtant Piturru – et ce fut la chose la plus cruelle qu'Elena entendit –, ce petit homme désespéré, n'incitait pas à la pitié mais au rire. Quand le soir il arrivait sur la place, des voix railleuses s'élevaient, on lui cachait son béret, on le traitait de « Piturru » qui était l'injure la plus infamante pour les gens de campagne. On disait aussi que cette ombre d'homme avait cependant une forme de bonheur, il faisait l'amour chaque soir avec sa femme, puis ils dormaient enlacés toute la nuit. Du fond de leur misère, ils avaient trouvé ce moyen de se protéger du monde. Pour les gens c'était le détail le plus comique du personnage : afin de désigner la capacité sexuelle de quelqu'un on avait coutume de dire qu'il « avait une santé de Piturru ».

Le bruit courait qu'à la mort de son cinquième enfant la commune lui avait donné la somme extraordinaire de cinquante mille lires et, qu'avec cet argent, Paolo Buscemi s'était rendu chez un paysan pour acheter un vieux mulet qui l'aiderait à transporter l'engrais et qui coûtait cent mille lires. Il avait dit au paysan : « Je vous donnerai le reste quand mon fils Lorenzo qui est gravement malade mourra. »

Tel était l'homme et Elena arrivait maintenant devant sa maison. Après l'école, par une de ses décisions instinctives et violentes, elle était partie à sa recherche. C'était la dernière maison du quartier Fiumara, juste avant que le couloir ne s'ouvre sur la vallée. Le long de la façade croulante il y avait une seule note gentille : une vingtaine de pots en terre cuite dans lesquels fleurissaient des petites plantes de menthe et de persil.

Elena franchit le seuil d'un pas rapide et se sentit aussitôt repoussée par une odeur insupportable : on ne comprenait pas si c'étaient des émanations d'excrément, ou bien de sueur, ou de lait caillé. Ici, toutes les choses dégageaient une impression de désolation : le sol de terre battue, la table, les chaises, les dizaines d'images saintes collées aux murs, la couverture suspendue au centre de la pièce en guise de paravent et le grand lit disjoint. Dans le fond, il y avait une femme assise avec un bébé sur les genoux, une fillette accroupie qui mangeait dans une écuelle et trois enfants emmitouflés dans le lit, la tête émergeant à peine d'une couverture. Elena avança à l'intérieur de la pièce.

– Je suis l'institutrice Vizzini. Je cherche Paolo Buscemi...

– Il n'est pas là!

A la vue d'Elena, la femme avait eu un mouvement imperceptible mais net, exactement comme un animal qui, ayant aperçu un danger mortel, comprendrait qu'il ne peut s'échapper. Elena devina que sa visite était attendue depuis longtemps. Elle s'approcha lentement de la femme sans dévier un instant son regard.

– Je dois à tout prix parler avec Paolo Buscemi! Quand revient-il?

– Pas aujourd'hui...

– Ni même ce soir, cette nuit?

Cette fois la femme ne répondit pas. Elles se regardèrent en silence. Elena n'avait jamais vu une telle créature. Ses jambes grasses et blanches se terminaient par des pieds minuscules et sales à demi enfouis dans des savates d'homme, un sein défait pendait sur son ventre gonflé et déformé par les grossesses successives. Sur ce corps de vieille fleurissait néanmoins un visage aux traits si fins qu'ils lui donnaient une fraîcheur juvénile. Deux choses pourtant rendaient ce visage dramatique : les cheveux gris et un œil à la pupille couverte d'une tache blanche. L'autre œil, noir et très beau, restait pointé sur l'intruse. Elena lui sourit avec douceur.

– Tu es sa femme!

– Oui!

– Mais Paolo Buscemi rentrera au moins ce soir?

– Je ne sais pas!

Elena caressa l'enfant accroupie à côté d'elle et sourit encore en fixant la femme. Un dialogue bref et cruel se déroula.

– Comment t'appelles-tu?

– Margherita.

– Écoute Margherita... tu ne le sais certainement pas mais la nuit du meurtre des deux hommes à moto, ton mari travaillait à la cathédrale et il a vu les assassins...

– Ce n'est pas vrai!

– Toi, qu'en sais-tu?

– Ce n'est pas vrai, ce n'est pas vrai!

– Pourtant, c'est vrai. Ton mari a vu les assassins et les carabiniers le savent déjà, ces hommes aussi finiront par le savoir. Je suis venue pour vous aider...

Tout en parlant un remords lui traversa l'esprit: « Je suis en train de torturer cette femme! D'ailleurs, ce n'est pas une femme mais un pauvre petit animal... Je suis une conne! »

Pourtant elle continua et serra même les poings pour renforcer ses mots.

– J'ai besoin de savoir qui étaient ces hommes. Tu comprends? Je peux vous aider, tu ne dois pas avoir peur de moi...

De tout le visage de Margherita, seul son unique œil semblait vivant. Elena eut la folle tentation de la frapper pour l'entendre crier. Elle essaya au contraire de lui parler d'une voix douce, apaisante.

– Dis-moi ce que vous voulez en échange. Je peux vous faire émigrer dans une grande ville. Que veut ton mari? Une place de portier, un travail de concierge? Je vous ferai même obtenir un logement...

La puanteur l'étouffait. Elle s'assit sur le rebord du lit, tout près des enfants.

– Bonjour... Comment tu t'appelles?

Aucun des enfants ne répondit. Elena fit quelques pas dans la pièce, vit un autre lit défait derrière le paravent et sur le sol une horrible crotte noire.

– Margherita, tu m'entends?

Elle se mit presque à genoux pour lui parler, et effleura les cheveux gris du bout des doigts.

– Écoute, Margherita, ton mari a besoin qu'on l'aide, et moi seule peux le faire. Cette nuit je l'attendrai dans la cathédrale, et personne ne pourra nous voir ou nous entendre. Dis-le-lui; Margherita : cette nuit dans la cathédrale...

Soudain Margherita eut un sourire extasié.

– Paolo a peur, mais moi je le convaincrai...

– Bravo, bravo Margherita!

La main de la femme s'était délicatement posée sur celle d'Elena.

– Mais tu dois nous obtenir deux choses : le certificat d'émigration avec tous les enfants et un travail sûr de manœuvre...

– Oui, oui, Margherita, tout ce que tu veux...

D'un doigt, elle tourna doucement le visage de la femme de façon à rencontrer son regard. Elle la sentit trembler.

– N'oublie pas... Cette nuit dans la cathédrale.

A cet instant elle pensait : « C'est plus facile que d'apprivoiser les animaux. »

En remontant la ruelle déserte vers la place, Elena entendit un bruit de pas derrière elle mais ne vit personne. Des gouttes de pluie commençaient à tomber et elle activa sa marche. La musique de la fanfare se rapprochait; toute la matinée elle l'avait perçue comme un vague bourdonnement et maintenant les notes éclataient, triomphales. La voilà : une nuée d'enfants qui débouchaient du bout de la grand-rue, deux étendards flamboyants et tout de suite après, la fanfare, trente musiciens vêtus de blanc qui avançaient vers elle au pas de parade.

Brusquement une étrange obscurité s'installa, comme si les nuages s'étaient refermés sur le ciel. Deux longs souffles de vent et une abondante averse s'abattirent tout à coup sur le pays. La musique s'évanouit, les enfants et les étendards disparurent. Elena trouva refuge sous l'auvent de la mairie mais la pluie s'arrêta soudain : le ciel se dégagea au-dessus des toits et s'illumina d'une blancheur éblouissante.

Elle entendit à nouveau les enfants qui couraient avec les étendards, la fanfare réapparut de l'autre côté de la place, le soleil s'éteignit et l'obscurité retomba. Que diable se passait-il? Elena se précipita vers les escaliers de la cathédrale avec l'impression d'être suivie. Un bruit de pas, une ombre entre les porches. En gravissant les dernières marches, elle se retourna : pas âme qui vive. Elle se faufila à l'intérieur par une petite porte entrouverte et se cacha derrière l'une des grandes colonnes en retenant sa respiration. Silence, pas même le bruit du vent ou de la pluie et toujours cette sensation angoissante qu'une chose vivante et mystérieuse avait pénétré elle aussi dans l'église, et l'épiait, quelque part dans l'ombre.

Le regard d'Elena se posa sur les sarcophages nichés sous les autels, elle réussissait à peine à entrevoir les dépouilles derrière les vitres : le croisé et son panache blanc sur le crâne, les deux moines à la tête bandelée, la femme enveloppée dans son voile de pureté et ses horribles cheveux gris épars sur le coussin noir. La dernière tombe vide. Elle eut un frisson si violent à en ressentir une douleur dans le dos. L'angoisse n'empêcha pas une pensée folle : « Peut-être cherche-t-on à me tuer moi aussi! S'ils le font, la population me sanctifiera et on me mettra dans ce cercueil vide avec une croix sur la poitrine. Des années passeront et les enfants de ma classe devenus des hommes aux cheveux blancs diront : « Ça c'est l'institutrice qui voulait sauver le pays des assassins. »

Deux minutes s'étaient à peu près écoulées. Elena se déplaça un peu pour mieux voir la nef centrale, et soudain toutes ses pensées s'entrechoquèrent. Un frôlement, une sombre silhouette à quelques mètres de distance mais à un endroit imprécis. Elle essaya de regagner le coin le plus obscur et sentit au même instant une nette présence, toute proche. Elle fit brusquement volte-face et vit Michele, immobile. Son angoisse se transforma tout à coup en un besoin aveugle de le frapper ou de crier, mais elle ne bougea pas. Michele souriait.

– Je t'ai cherchée tout l'après-midi...

– Tu m'as fait mourir de peur.

– Tu as même peur de moi maintenant?

– Pourquoi devrais-je avoir peur? Que peux-tu me faire, toi?

Pourtant ses jambes tremblaient. Elle fut tentée de fuir pendant que Michele s'approchait.

– Où étais-tu, qu'est-ce que tu cherches?

Elena ne répondit pas et Michele lui caressa les cheveux. Il semblait effrayé.

– Pauvre Elena, tu es trempée...

Elle repoussa doucement sa main.

– D'où je viens, qu'est-ce que je cherche? Voyons si tu devines?

Michele continuait à sourire. Sa voix était étrange.

– Quoi que ce soit, ça ne m'intéresse pas...

– Qu'en sais-tu?

Il eut un mouvement de colère. Elena ne comprit pas très bien ce qu'il voulait dire.

– Trois hommes de merde! Je ne veux pas, je ne veux pas... Tu es en train de délirer sur ces trois cadavres!

– Quatre, Michele, le professeur Spadafora a lui aussi été assassiné ce soir-là. Tu l'as toi-même vu mourir, de tes propres yeux.

Le comportement de Michele changea. Il frappa ses poings l'un contre l'autre comme pour exprimer une pensée connue de lui seul.

– Toi tu n'as rien à voir avec tout ça, Elena, ce sont des choses qui ne te regardent pas...

– La justice ne me regarde pas?

– Ce ne sont que des mots insensés, bon sang! Tu t'inquiètes toujours pour les autres, la justice, la dignité... Tu dois seulement instruire les enfants, leur apprendre à lire et à écrire.

Sa respiration était rapide, il donnait l'impression d'avoir de la fièvre.

– Va-t'en, Elena, va-t'en de ce pays, ce n'est pas le tien! Oublie qu'il existe, oublie ce que tu as vu...

Une gifle aurait eu le même effet.

– Tu veux vraiment que je m'en aille pour toujours?

– Je veux que tu oublies.

– Les assassins, l'organisation de la peur... c'est ce que tu veux dire, Michele? C'est ça que je dois oublier?

Elle avança tout près en serrant les poings de colère et de haine.

– Quelqu'un cherche à mettre ce pays sous sa botte, tu veux le comprendre? Il tue les gens et les montre sur le plat de sa main... il se moque de vous!

Michele essaya de l'arrêter mais Elena le repoussa brutalement.

– Et moi, que suis-je là-dedans? Allez, dis-le! Une erreur, une farce... Cette pauvre petite institutrice, faisons lui une farce, arrangeons quatre assassinats dans les règles de l'art et mettons-la au milieu, amusons-nous! Voyons comment elle réagit! Et moi je ne connais même pas les raisons de toute cette histoire dégueulasse, tu l'as dit toi-même, je ne suis qu'une marionnette à qui à la fin ils décideront de couper les ficelles.

– Tu divagues, Elena. Tu es étrangère à tout ça, je t'en prie...

Il essaya encore de lui prendre gentiment la main mais elle le repoussa avec plus de violence.

– Moi je veux savoir qui ils sont, je veux les regarder en face, dans les yeux! Je veux les entendre parler!

Michele retira ses lunettes et la fixa avec des pupilles myopes et dilatées par l'obscurité. Son sourire était indéfinissable.

– Elena, personne ne t'aidera...

– Toi, tu ne m'aideras sûrement pas.

– Ça ne sert à rien. Ce que tu es en train de faire ne sert à rien.

– Explique-toi mieux.

Il ne répondit pas et pour la troisième fois elle le repoussa du poing.

– Alors c'est moi qui vais te le dire, maître Belcore! Ici pas une feuille ne bouge depuis cinq cents ans, il ne se passe jamais rien malgré les tremblements de terre, les maladies, typhus, méningite, les envahisseurs qui saccagent, les troupes qui débarquent. Sarrazins, Américains ou qui diable arrivent les premiers... Ils brûlent les maisons, violent les femmes et s'en vont. Cinq cents ans de désastres, d'épidémies, de massacres, mais dans le fond il ne s'est jamais rien passé, chaque fois tout se remet parfaitement en place : d'un côté une poignée d'hommes maîtres, et de l'autre une infinité de malheureux, pire, de pauvres imbéciles ignorants.

– Rien, rien ne changera!

Elena fut sur le point de le glifler.

– Allez, continue... Les pauvres ne comprennent jamais ce qui arrive et ne réussiront jamais à se faire rendre justice : c'est ce que tu veux dire, je sais!... Tu trouves toujours une explication, maître Belcore, mais sais-tu comment on t'appelle? Michele philosophie! A vouloir trop raisonner sur les choses... Tu n'as jamais un élan, bon Dieu! Une révolte! Un jour ou l'autre les pauvres vous mettront en morceaux.

– Elena, tu n'es qu'une femme...

– Tu as dit une femme comme si tu avais dit une pierre ou une luciole. Je suis un être humain, toi aussi Michele Belcore... Alors aides-moi à comprendre : qui es-tu?

Elle aurait voulu fracasser la vitre du cercueil et s'emparer de l'épée pour frapper Michele.

– Je te casse les reins, je te fais sauter les dents, salaud! Pas seulement à coups de pieds ou de poings... Moi je te décapite!

Elle le haïssait pour tout ce qu'il disait, elle le haïssait surtout parce qu'il l'avait poussée à l'aimer et c'était peut-être son acte le plus vil.

– Viens avec moi, Elena.

Michele était devant elle avec son écharpe, ses cheveux en désordre, ses lunettes, le regard doux et soumis qu'il avait quand il venait la rejoindre dans le lit. Ça lui parut si drôle qu'elle se mit à rire.

– Où veux-tu m'emmener, Michele? Chez toi? Tu me présenteras à ta mère? C'est Elena, maman, prépare le lit... Elena est gentille et obéissante, elle gagne cent dix mille lires par mois...

Un frisson de dégoût la fit reculer de deux pas.
– Et bien sûr nous nous marierons, n'est-ce pas Belcore? On s'installe une tanière sur la place, dans un an on ne se lavera plus, on ne s'adressera même plus la parole car le peu de choses qu'il nous reste encore à nous dire sera épuisé, fini. En compensation on mettra nos deux salaires dans une même boîte, on achètera une voiture et des radiateurs...
Dans l'ombre du confessionnal les mots venaient tout seuls.
– A présent, dis-moi la vérité, n'aie pas peur, on est dans le secret de la confession... Que penses-tu vraiment de toi-même, maître Belcore? T'est-il jamais arrivé de te sentir vivant? Quand? Avec moi, au lit? Oh, là tu te sentais sûrement vivant, je le sais, dans ce domaine tu es très fort. Mais crois-tu que quelqu'un puisse vivre seulement pour ça?
Elena tira délicatement le rideau et lui sourit comme à un enfant.
– Viens ici, maître Belcore, courage, je t'offre cette possibilité : on se déshabille et on fait l'amour. Peut-être pour la dernière fois! C'est un peu étroit mais on s'arrangera. Tu as honte, tu penses à Dieu? Ne t'en fais pas, Belcore, Dieu n'est plus ici! Il s'est sauvé. Dupé, malade, couvert de pustules, affamé. Il s'est enfui!
Le corps massif de Michele se pencha sur elle avec cet étrange sourire sur les lèvres.
– Ça c'est une idée, Elena! Tous ces mots inutiles...
D'abord incrédule, elle le caressa instinctivement, du bout des doigts; Michele s'inclina un peu plus et lui passa délicatement un bras autour des reins. Elle sentit sa bouche, sa langue chaude lui entrouvrir les lèvres, elle crut un instant qu'il voulait plaisanter mais les mains de Michele étaient déjà sous sa jupe, le poids de son corps cherchait à écarter ses jambes, elle se débattit pour lui échapper.
– Assez, Michele, assez, assez...
Mais elle ne pouvait résister. Il lui parlait anxieusement, ses lèvres collées contre sa bouche.

– Allez, allez, ne crie pas, sois gentille, mon amour... Comme ça, voilà, comme ça!

Se sentant écrasée par sa force, elle essaya de le frapper à la tête, mais ce n'était pas tant cette puissance qui l'empêchait de résister plutôt que sa propre faiblesse. Elle luttait tout en s'abandonnant, secouait rageusement la tête, pour éviter les lèvres tentatrices, elle l'empoigna par les cheveux mais ses jambes faiblissaient... alors elle céda brutalement, suffoquant de plaisir. Une douceur inexprimable... La bouche de Michele s'emparait de sa langue et elle eut l'impression d'être soulevée tout entière. Elle chercha un appui, un coin dans le confessionnal, ne sachant plus où était son propre corps, ses bras, ses jambes, dans quelle position grotesque elle devait se trouver; la seule chose qui lui importait était de recevoir Michele le plus profondément possible, complètement. Elle s'accrocha à lui et le sentit bouger dans son corps. A chaque mouvement le plaisir devenait plus intense.

– Michele, Michele... Maintenant... Ne m'abandonne pas...

Une immense ivresse, un gémissement et puis plus rien. Ensemble dans le néant. Elle, en équilibre et lui à genoux, essoufflés, comme flottant sur un lac de tristesse, désincarnés, sublimés.

– C'était beau, Elena...

Il souleva la tête un court instant pour guetter le silence de l'église, se releva lentement, et sourit en remontant ses pantalons. Il arrangea aussi ses lunettes, lui fit une caresse hésitante.

– Elena, je veux t'épouser.

Avec une extraordinaire tendresse, il lui couvrit les jambes et l'aida à se hisser jusqu'au siège.

– Vraiment, Elena, je veux t'épouser.

Il scruta l'ombre de la nef, lui adressa un dernier sourire silencieux et s'éloigna sur la pointe des pieds. Elena attendit dans le confessionnal. Silence absolu. Elle en sortit elle aussi prudemment, descendit sa jupe, fit quelques pas et s'appuya contre la première colonne. Elle éprouvait une sorte d'engourdissement, une brûlure dans le bas-ventre, une sensation d'écorchure. Elle était décoiffée et se sentait sale, dégoulinante de sueur, mais pas humiliée. « Bon, j'ai fait l'amour par terre, dans une église, et je m'en fous! Désormais je n'ai plus peur, plus aucune retenue, quoi qu'il arrive j'irai jusqu'au bout de tout ce que j'ai entrepris : ce pays du diable, le quartier Fiumara, les assassins, même Michele Belcore... »

Elle se vautra dans le creux de la colonne et lissa ses cheveux en respirant profondément. L'obscurité et le calme l'enveloppaient, rien qu'un imperceptible tintement de verre remué par le vent quelque part dans la coupole. L'idée oppressante que quelqu'un avait les yeux fixés sur elle ne la quittait pas. Mais la colère repoussait sa peur. « Va te faire foutre, qui que tu sois! Tes heures sont comptées! Ou bien il te faudra me tuer ici même, dans la cathédrale, en ce moment précis! »

Le plaisir se manifestait encore, comme des pointes d'aiguilles tièdes qui venaient se dissoudre dans son ventre, et c'est pour ça qu'elle se sentait forte et vivante avec la fébrile détermination de lutter contre n'importe quoi. Elle essaya une dernière fois de se concentrer et comprendre au moins un détail dans cet imbroglio de personnages et d'actions qui la cernaient, en faisant l'effort de remettre les choses en ordre : « Je suis arrivée ici sans connaître personne et personne ne me connaissait, ça c'est sûr. Tout à coup un homme m'importune et se retrouve assassiné, c'est fou mais ça s'est passé exactement comme ça. Alors tout le monde se met à croire que je suis responsable de sa mort, persuadés que derrière cette petite institutrice insignifiante il devait y avoir des gens capables de n'importe quoi. Sourires craintifs, on me salue soudain avec respect, je vais à la mairie demander une subvention en faveur de la famille Calafiore et elle est accordée aussitôt, tambour battant. Tout de suite après il se passe pourtant un fait épouvantable : deux hommes m'attrapent et me traînent sur la place. Au moins cent personnes voient qu'ils veulent me tuer mais pas un chien ne vient m'aider. Environ quatre heures plus tard ces deux voyous sont eux aussi assassinés et exposés au milieu de la place avec leur moto afin que tout le monde puisse voir qu'ils sont morts. Evidemment, moi je peux faire tuer quiconque ose m'offenser : dans tout le pays, pas une personne n'est disposée à croire le contraire. A mon passage on se lève et on ôte son chapeau. Même les pauvres du quartier Fiumara sont convaincus que je peux disposer de la vie et de la mort de chacun : si je le veux, ils sont prêts à faire une révolution... »

Jusque-là le raisonnement était parfait.

« Donc, tout le monde est persuadé de ma toute-puissance, les pauvres, le maire, le médecin, le directeur, le juge et l'adjudant aussi. A part bien entendu, l'assassin qui est le seul à connaître la vérité. C'est peut-être effectivement un pauvre fou amoureux de moi qui me suit partout, m'espionne, et qui à sa façon me protège; mais un jour ou l'autre il peut changer d'avis, surgir devant moi et me tuer aussi. Ou bien c'est seulement quelqu'un qui s'amuse : il m'a choisie dès mon arrivée pour cette espèce de jeu macabre. Il doit pourtant avoir une idée derrière la tête, une idée diabolique, incroyable... un plan absurde. Toutefois quelqu'un avait deviné quelque chose, mais lui aussi était fou : le professeur Spadafora. Le regard d'un fou réussit plus facilement à pénétrer dans l'absurde, mais lui non plus ne devait pas être certain de sa découverte car il cherchait à me parler, il posait d'étranges questions, il me harcelait. Le soir de la fête il était saoul mais il avait sûrement déjà découvert la vérité et en trois secondes il est mort, foudroyé par la strychnine. L'assassin commence peut-être à avoir peur... le jeu a tant duré que je suis devenue la maîtresse du pays. Ou bien alors il observe le déroulement des choses et continue de s'amuser... »

L'obscurité s'était faite plus profonde, quelques cierges venaient de s'éteindre sur les autels, et la pluie devait recommencer à tomber car un léger bruit parvenait de la haute coupole. Elena frissonna : un courant d'air glacé souffla dans l'ombre, comme si un soupirail se fut soudain ouvert. Quelqu'un était certainement en train de la fixer, elle l'aurait juré.

« Ils étaient tous présents quand le professeur Spadafora s'est écroulé : l'assassin est forcément l'un de ceux qui l'ont vu mourir... »

Elena s'accrocha désespérément à cette idée mais sa mémoire lui renvoyait des visages aussi statiques que ceux d'une vieille photo, tous groupés avec les mêmes yeux ronds, le même sourire affable et étrange. Michele aussi souriait de cette façon.

Les personnages défilaient dans sa tête sans qu'elle puisse se concentrer plus d'une seconde sur l'un d'eux en particulier : le docteur Sanguedolce s'inclinait en ôtant son chapeau et disparaissait instantanément en laissant sa place au maire qui rapetissait à vue d'œil pour devenir le juge Occhipinti au teint pâle, lequel prenait aussitôt les traits de l'avocat Bellocampo qui s'avançait à petits pas avec un doux sourire et se faisait à son tour engloutir par une grande ombre flottante, la cape du chanoine. Pluie et vent, la place devint déserte.

Cette impression d'impuissance disparaissait peu à peu dans la colère et la haine. Elle se sentit envahir d'un irrésistible désir de violence, ses poings se serraient, plantant ses ongles dans ses paumes. La douleur lui brûlait les mains. Son corps entier se révoltait.

« D'accord, qui que tu sois, merde! Il y a ici des milliers d'hommes qui, si je lève un seul doigt, sont capables de faire un carnage! »

Une note d'orgue s'éleva du haut de la nef. Le son mélodieux planait au centre de l'immense cathédrale, fin, limpide, presque corporel; puis trois autres notes se répétèrent en s'amplifiant. Elle reconnut la musique solennelle et triste qu'elle avait tant de fois écoutée en préparant son admission au concours : les livres de pédagogie sur la table, le café, les cigarettes et ce vieil électrophone sur lequel tournait toujours le même disque : la Sonate en si bémol mineur, œuvre 35. Elle tenta d'apercevoir la tête du vieux Nunzio derrière l'orgue, mais il faisait trop sombre là-haut. « C'est bien la marche funèbre de Chopin! »

12

En sortant de la cathédrale, elle fut assaillie par une rafale de vent, vit des nuages blancs courir très bas au-dessus des toits et entendit la fanfare au fond de la grand-rue. C'était presque la tombée du jour : elle regagna sa chambre, se déshabilla et se lava entièrement à l'eau glacée, but un café brûlant et se jeta sur le lit en s'enroulant dans une couverture, juste le temps de fumer une cigarette. Elle se sentait forte et éveillée. Quand elle sortit, il faisait noir et le vent balayait les pavés. La place et la grand-rue regorgeaient d'une foule excitée, les fenêtres de l'hôtel de ville étaient toutes illuminées.

Sur le grand escalier, Elena vit la gigantesque silhouette du caporal Ferraù presque au garde-à-vous, les yeux hagards, au milieu d'une foule vociférante. Un peu plus loin l'adjudant Orofino, l'immense capote boutonnée jusqu'au cou, les gants blancs et la casquette calée sur les oreilles. Il bombait le torse et essayait d'avoir de l'allure, une main derrière le dos et l'autre au niveau du cœur, en tenant sa cigarette entre deux doigts, mais ses épaules tombaient et il avait les traits défaits de l'homme dévoré par la fièvre.

– Bonsoir, adjudant.

– A vos ordres, mademoiselle.

– Où avez-vous laissé le juge Occhipinti?

– Parti ce soir.

– Il ne veut pas honorer notre fête?
– Transféré à Taranto, ordre du procureur.
– Le pauvre, et pourquoi?
– Promotion méritée.
A cet instant, le docteur Sanguedolce apparut et retira son chapeau d'un geste théâtral. Il avait les yeux brillants et la voix tonnante, comme celle d'un héros de l'Histoire.
– Illustre demoiselle, c'est le grand épilogue!
Le maire, les adjoints et une nouvelle vague de gens arrivèrent en même temps et on entendit la fanfare entrer dans la cour sous un déferlement d'applaudissements. Les grandes portes de la salle du conseil s'ouvrirent, immédiatement franchies par la foule : Elena réussit à grand-peine à atteindre l'estrade. Des cris fusaient de tout côté, on ne comprenait pas s'ils étaient joyeux ou menaçants, l'air enfumé était irrespirable. Il y eut un appel téléphonique en provenance de Rome, mais on n'entendit rien à cause du bruit et la ligne fut tout de suite coupée. La fanfare se remit à jouer quand le téléphone sonna à nouveau. Le maire décrocha en tremblant puis poussa un hurlement d'exaltation si brutal et violent que sa voix s'étouffa dans sa gorge. Il s'immobilisa en brandissant un poing et en frémissant de la tête aux pieds. Il ne réussit à articuler qu'un seul mot : « Approuvée! » Un cri de triomphe retentit dans la salle, le maire chancela sous la poussée de dizaines de personnes qui essayaient de s'approcher du téléphone. Elena fut littéralement transportée près du maire parce que Rome voulait à toute force lui parler aussi. Elle réussit difficilement à entendre une petite voix lointaine qui grésillait : « Nous avons gagné, nous avons gagné! Justice est enfin rendue, le peuple a gagné! Veuillez exprimer aux habitants... »
La voix s'évanouit soudain, les autres paroles se perdirent dans le tumulte, des mains s'emparèrent du récepteur et le maire et le directeur Battaglia l'embrassèrent. Dans tout ce désordre, elle ne comprit même pas où on l'entraînait, tous voulaient rejoindre la foule qui attendait

sur la place, mais ils étaient si serrés les uns aux autres qu'ils n'arrivaient pas à passer la porte.

Ils criaient, des poings volèrent, un drapeau émergea au-dessus des têtes et courut d'une main à l'autre. Finalement cette vague humaine déborda sur le grand escalier, il y eut une espèce de déflagration, la clameur inonda la grand-rue, la fanfare attaqua sa marche furieuse.

Toutes les lumières étaient allumées, les fenêtres grandes ouvertes, un fleuve de gens heureux hurlaient en brandissant cent drapeaux, musique en tête. Ils marchaient en se tenant l'un l'autre, bras dessus bras dessous, des centaines de chaînes humaines. La seule fenêtre restée close était celle de l'avocat Bellocampo.

Le cortège dévia le long de l'église San Michele et, toujours par la grand-rue, revint vers la place. Une série d'explosions fit trembler les maisons. Un premier feu d'artifice s'éleva et éclata dans l'obscurité avec un rayonnement éblouissant. Le ciel s'illumina d'éclairs jaunes et bleus, pendant qu'une longue rafale de pétards incendiait la colonnade de la cathédrale. Les explosions étaient si continues et violentes que le pays semblait secoué jusque dans ses fondations.

Elena gravit l'imposant escalier noyé de fumée bleue, et arrivée au sommet elle contempla la place grouillante de monde.

Le maire parla le premier, les cheveux dressés sur la tête, et les yeux écarquillés : un discours bref, tumultueux et un peu fou.

– La volonté du peuple a triomphé! Notre courage a fait plier toutes les adversités. Nous avons une loi qui rend enfin justice aux antiques aspirations de ce peuple. La mer, la mer... L'authentique civilisation méditerranéenne... Les grands ports, les commerces... Ce pays commence maintenant à se projeter vers le futur...

Chaque parole suscitait une ovation dans la foule. Ensuite Elena parla à son tour, la voix tremblante d'émotion.

– Ce que vous avez conquis vous appartient... Ce à quoi vous aviez droit en tant qu'êtres humains est à vous pour toujours... à vos enfants...

Ne pouvant trouver d'autres mots, l'émotion se transforma en un rire libérateur. La fanfare jouait l'hymne national, les cris se multipliaient, elle aussi se mit à crier...

Comme invoquée par ce hurlement de triomphe ininterrompu, une rafale de vent s'empara des cheveux, des châles, des manteaux et des capes des paysans qui s'envolèrent tous dans la même direction; l'ouragan amena de grosses gouttes de pluie qui, très vite, devinrent un déluge. Les yeux pleins d'eau, les cheveux collés sur les joues, Elena tendit les bras.

– Adieu, adieu!

Tout le monde fuyait. Elle eut à peine le temps de s'abriter sous les colonnes. Quelques minutes plus tard le vent se calma, la pluie cessa de tomber, la place et la grand-rue se vidèrent. Une voix inattendue résonna dans le silence. Elena s'avança lentement et aperçut le journaliste Agostino qui parlait seul en gesticulant sur les marches dans une attitude d'orateur; il répétait des bribes de phrases et des mots qui venaient d'être prononcés.

– Les antiques aspirations de ce peuple, la mer, la mer...

Tout à coup sa voix se mua en un rire ridicule. Il se plia en deux comme un personnage de parodie, puis il se redressa en agitant sa main vers le ciel.

– Ce que vous avez conquis vous appartient pour toujours!

Il sautilla en descendant quelques marches, imitant maintenant la foule en délire.

– Bravo, bien... bis... Encore, encore!

Elena sortit de sa cachette en frappant elle aussi dans ses mains.

– Bravo, bravo...

Agostino fit un écart, dévala quelques marches et s'arrêta net, dressant sa tête à la façon d'une tortue pour comprendre qui venait de parler.

– Mademoiselle Vizzini... que faites-vous là?
– J'attendais qu'il s'arrête de pleuvoir. Et vous?
– Je plaisantais... je prépare mon article...
– Mais qu'est-ce que ça veut dire : la mer, la mer?
– Ça veut dire que maintenant ils vont construire la route vers la mer. Elle partira exactement du haut de cette colline.
Il eut un geste étrange, suivi d'un petit rire.
– Mais comment, vous avez signé la pétition pour le Parlement et vous n'êtes pas au courant?
– La pétition ne mentionnait que les projets concernant les maisons populaires, l'aqueduc, l'hôpital...
– Parfaitement, c'était le projet initial! Mais comme le financement était insuffisant, seule la première partie a été approuvée. On ne vous l'a pas expliqué? Tout le reste, l'aqueduc, l'hôpital, ils les feront plus tard! Vous avez vu comme ils étaient contents?
– Mais c'est une plaisanterie? Contents de quoi?
– Forcément, les campagnes vont devenir des terrains bâtissables...
Elena descendit quelques marches tandis qu'Agostino s'éloignait, comme s'il avait peur.
– Qu'est-ce que tu dis? Quels terrains bâtissables? Qui a assez d'argent pour acheter des maisons?
– Les émigrants! Mademoiselle, c'est si simple...
Il descendit prudemment deux autres marches :
– Les calculs sont infaillibles : trois mille émigrants économisent en moyenne soixante-dix mille lires par mois et achètent au bout de dix ans un appartement de trois pièces...
– Ce n'est pas vrai!
– Qu'est-ce qui n'est pas vrai? Vous m'accusez de mensonges?
Ils se regardèrent en silence. Agostino avait perdu son expression de ferveur. Avec ses énormes lunettes il ressemblait à un horrible petit monstre et Elena eut envie de lui cracher au visage.
– Sales, sordides, dégoûtants, bâtards...

– Moi je n'y suis pour rien...

– Toi, sale figure de merde... toi, tu savais déjà tout!

Elle le poussa en le faisant chanceler mais Agostino gardait son sourire arrogant. Il redressa ses lunettes, s'approcha d'elle, provocateur, fit une espèce de pirouette, remonta les escaliers deux à deux, ne se retourna qu'une seconde pour la regarder et disparut. Croyant qu'il s'était caché derrière les colonnes, Elena se lança à sa poursuite.

– Fils de chien, je vais te faire dégringoler les escaliers à coups de pieds!

Mais le parvis était sombre et désert, la grand-rue et la place désertes. Il n'y avait pas un souffle de vent, les arbres chargés de pluie étaient immobiles, portes et volets étaient clos. Elena s'assit au pied de la cathédrale, les yeux grands ouverts. Une seule pensée la désespérait : « Et les maisons populaires, l'aqueduc, l'hôpital? Et les familles du quartier Fiumara, les trous sanitaires au milieu des pièces, les rats, Calafiore Sebastiano au fond d'un lit? Ils se sont moqués de moi? »

Tout lui parut si grotesque qu'elle fut sur le point d'éclater de rire, mais la pensée terrible revint, claire et obsédante : « Tout est fichu... Ces enfants qui m'apportaient des fleurs à l'école... ils continueront de mourir... »

Furieuse, elle appuya ses poings sur ses joues.

« L'assassin savait tout ça, il voulait que les choses se déroulent exactement de cette façon. Les hommes abattus, cette imbécile d'institutrice Vizzini prise au jeu, la dévotion des pauvres... »

Un très violent plongeon du cœur lui fit serrer les dents pour ne pas hurler. « Paolo Piturru a vu les assassins! Il les a vus! Il les a vus! »

Elle se leva précipitamment, rasa les murs de la façade en courant et tourna dans la ruelle. La petite porte céda silencieusement. Dans la totale obscurité de l'église il n'y avait que deux faibles lueurs sur l'autel principal. Tâtonnant d'une colonne à l'autre Elena gagna les fonts baptismaux mais elle ne réussit pas à trouver la porte menant au clocher. Pour la première fois, elle avait peur. Entreprendre seule un acte aussi insensé... peut-être était-il encore temps de rentrer chez elle et d'attendre sagement le lendemain. Elle finit pourtant pas trouver le passage. Un souffle de vent glacé lui indiqua le chemin du clocher.

Les escaliers grimpaient en colimaçon jusqu'au sommet. En progressant, Elena ressentait une sensation de vide toujours plus profond. Dans l'obscurité elle devina les formes gigantesques des cloches, et avança lentement jusqu'à la balustrade. Là, elle vit le pays tout entier s'étaler à ses pieds : la place déserte, les rangées d'ampoules qui laissaient entrevoir les maisons de la grand-rue, la façade de la mairie, une étendue de toits où les lumières ponctuaient l'obscurité. Au-delà, là où elles finissaient, se trouvait le quartier Fiumara. L'horizon était complètement noir, sans la moindre trace de lueur. Plus loin, on pouvait imaginer la mer, ou le vide.

Elena alluma une cigarette, qu'elle tint dans le creux de la main pour se réchauffer. Pour mieux voir la place, elle se pencha au-dessus de la balustrade : Piturru devait arriver par la ruelle d'en face, il ne pouvait lui échapper. Elle avait maintenant une idée très claire de tout ce qui s'était passé. Il lui manquait la dernière révélation. « L'assassin a organisé la trame... Ces hommes abattus, la révolte des pauvres et la loi spéciale... Il a envoyé deux émissaires tuer cet idiot de Villarà et après m'avoir fait agresser sur la place, il a fait disparaître ces deux hommes... C'est fou ! »

C'était un plan inimaginable mais parfait : « Il envoyait des voyous faire la besogne à sa place, puis il les tuait lui-même ! »

Une autre idée lui vint à l'esprit : « Et si tout n'était qu'une farce? Si cet Agostino de malheur m'avait fait une mauvaise plaisanterie? La fausse loi spéciale, les terrains bâtissables... Et tous ces meurtres alors? »

Ses pensées s'évanouirent d'un seul coup : Piturru

venait d'apparaître au fond de la place déserte. Elle le reconnut immédiatement à sa petite taille; il marcha quelques secondes sur le trottoir et traversa la place en direction de la cathédrale. De là-haut il ressemblait à un petit animal se déplaçant à toute vitesse. Son émotion fut si vive qu'elle se mit à parler seule :

– Il vient, il vient, il vient...

Paolo Buscemi monta quelques marches et s'arrêta net face à la colonnade. On aurait dit qu'il n'avait plus la force d'avancer. Lentement, sans se retourner, il redescendit deux marches en hésitant, puis il eut un sursaut, comme un chat qui ne saurait de quel côté s'enfuir. Il dévala brusquement les escaliers et se mit à courir, épaules baissées, en direction de la grand-rue mais avant de s'y engager, il fit marche arrière vers la ruelle par laquelle il était venu et disparut. La place redevint déserte.

Elena n'eut pas le temps de comprendre. Au bout de trois ou quatre secondes, Piturru réapparut. Il n'était plus le même : recroquevillé sur lui-même, il essayait de se sauver mais une de ses jambes semblait le gêner. Il avançait ainsi, péniblement, vers la cathédrale, puis il trébucha, se releva immédiatement, et se remit en marche, traînant la jambe, d'abord vers la grand-rue puis du côté opposé. La place était vide mais chaque issue que Piturru choisissait semblait cacher une présence mortelle.

Elena était bouleversée, elle n'avait jamais vu assassiner un homme! Au moment où il disparaissait derrière la colonnade elle entendit un cri : Piturru sortit de l'ombre du pilier, fit quelques pas le long du trottoir en se tenant le ventre puis rejoignit le centre de la place en avançant difficilement, et s'effondra d'un seul coup.

Elena éclata en sanglots, les coudes repliés dans le même geste que Piturru, elle arrivait à peine à respirer. Croyant percevoir un mouvement dans le corps de Piturru, elle se précipita vers les escaliers, dévalant les marches au risque de se rompre le cou.

Lorsqu'elle se pencha sur Paolo Piturru, elle vit qu'il avait les épaules et la poitrine couvertes de sang. Ses yeux grands ouverts étaient devenus gris, les traits convulsés. Elena effleura des doigts les cheveux du cadavre, guettant un mouvement, une réaction. Ensuite tout se passa en quelques minutes.

Elena se mit à courir vers la petite rue face à la cathédrale et frappa de toutes ses forces à la première porte, puis à la deuxième, la troisième en criant :

– Sortez, à l'aide, on a tué Pitturu!

Elle criait, courait, tapait des poings, elle entrevoyait confusément des silhouettes, des visages flous et continuait d'une rue à l'autre en hurlant.

– Ils vous ont trompés, pas de logements populaires, ni d'hôpital...

Elle alla même tambouriner aux portes du quartier Fiumara.

– Brûlons les maisons, venez, venez... *Ils* vous tiennent en esclavage, *ils* laissent mourir vos enfants...

Deux fois elle crut défaillir, mais elle s'entêta et eut l'impression de reconnaître quelqu'un parmi ceux qui la suivaient. En arrivant sur la place elle se précipita en avant, les bras tendus, les poings fermés, et poussa un cri d'horreur : la place était vide, le corps de Pitturu n'y était plus.

Elena se retourna subitement et derrière elle aussi il n'y avait plus personne. Elle croyait devenir folle. Après quelques pas incertains elle s'élança à nouveau sur une porte, puis une autre, une autre... Les maisons semblaient inhabitées, les façades restaient muettes.

Cette impression de vide éveilla une idée dans sa mémoire; la seule décision possible : la caisse d'explosifs cachée sous le lit du professeur Spadafora était capable de faire s'écrouler la cathédrale. Tout le centre du pays serait écrasé, frappant les habitants dans leur sommeil. Elle pensa confusément que Michele aussi pouvait mourir en dormant, et au même moment, elle sentit une présence humaine derrière elle. Une douleur atroce explosa dans son dos, lui coupant la respiration, la poussant brutalement en avant.

Elle essaya confusément de se relever, mais un autre coup sur la tempe la fit tomber. En une fraction de seconde, elle put distinguer un homme grand, maigre, aux cheveux gris et crut à cet instant l'avoir déjà vu. Ses forces l'avaient désormais abandonnée. Elle resta agenouillée, la tête enfouie dans les bras, en croyant qu'elle allait mourir.

La pluie s'était remise à tomber violemment : l'eau s'abattait du ciel noir telle une muraille faisant plier les arbres, une averse après l'autre. Il n'y avait pas d'autre bruit, aucune voix humaine...

L'aube commença à poindre, un ciel de cristal sans un nuage, des fumées blanches qui roulaient dans le fond de la vallée. Les immeubles gris de la grand-rue, les lauriers immobiles de la place, la cathédrale, tout était silencieux.

13

Elena traversa lentement la place en essayant d'équilibrer avec son corps le poids de la grande valise. On entendit un lointain bruit de sabots, des paysans à cheval qui partaient déjà vers la campagne. Le clopinement s'estompa et un silence parfait revint. Elena s'assit sur la valise pour se reposer un instant. Derrière les façades inanimées, les volets fermés, elle imaginait des milliers de dormeurs encore plongés dans leur rêve sous des montagnes de couvertures.

Tout le monde dormait. L'avocat Bellocampo dormait. Le maître Belcore devait certainement dormir aussi, l'élève Calafiore Sebastiano, et les autres enfants du quartier Fiumara dormaient. Le sommeil était bien le seul lien pour tous ces gens. Elle promena longuement son regard. Un tourbillon de pensées et d'émotions la troublait maintenant. Elle allait abandonner cet univers pour toujours, mais les choses étaient encore là : cette splendide cathédrale où les gens surgissaient comme dans un grand théâtre, les maisons délabrées du quartier Fiumara, les notables assis devant la porte du cercle et qui se levaient tous ensemble en ôtant leur chapeau à son passage, le corps nu de Michele se penchant sur elle, et son membre brûlant qui la pénétrait doucement, les trois barbiers jouant chaque soir de la mandoline, l'enfant Calafiore qui voulait devenir un homme sans l'aide de personne...

La pointe de la cathédrale s'illuminait à l'ouest. Des chevaux renvoyèrent des bruits de sabots, d'autres paysans qui partaient vers la vallée. Elena pensa : « Cette nuit tout le monde me suivait, il y avait même Calafiore Sebastiano, je l'ai vu de mes propres yeux... et aucun d'eux n'a eu le courage de poursuivre l'assassin, de lui lancer au moins une pierre... »

Elle imagina que derrière les façades tout le monde était réveillé : Belcore les cheveux encore emmêlés de sommeil, le chanoine Leone épiant dans un coin du clocher, le maire, le docteur Sanguedolce, l'adjudant Orofino avec ses trente-neuf de fièvre, chacun, derrière l'une de ces fenêtres closes...

Les cloches de l'Annunziata sonnèrent cinq fois. Le bus pour Palerme passerait dans quelques minutes. Elena souleva sa valise et gravit lentement les escaliers qui menaient de la cathédrale à la route nationale. Elle s'engagea dans la dernière ruelle et s'immobilisa à mi-chemin. Juste devant elle, un homme était assis sur une chaise, le buste droit et les mains posées sur les genoux, des cheveux gris, la peau cireuse, un trou sanglant au milieu du front, une fleur glissée entre les lèvres.

Sans même poser sa valise, Elena avança doucement en fixant le visage : « Imbécile, tu devais t'y attendre ! »

Elle s'approcha jusqu'à effleurer ce grand corps et eut l'absurde tentation d'enlever la fleur de la bouche. Même mort, ses traits restaient si beaux et si violents qu'ils n'inspiraient aucun dégoût, et Elena en fut émue : « Toi non plus, tu n'as rien compris ! »

Elle entendit le klaxon du bus qui remontait la côte et se rappela la phrase finale des Malavoglia [1] :

« Il serait temps de partir avant que quelqu'un n'arrive. Mais le premier à commencer la journée est toujours l'assassin ! »

Elle avait encore vingt secondes pour décider...

1. *I Malavoglia* (« Les Vaincus »), roman de Giovanni Verga (1840-1922).

Cet ouvrage a été réalisé sur
Système Cameron
par la SOCIÉTÉ NOUVELLE FIRMIN-DIDOT
Mesnil-sur-l'Estrée
pour le compte des Éditions Encre
le 10 juin 1985

Imprimé en France
Dépôt légal : juin 1985
N° d'édition : 243 – N° d'impression : 2588
ISBN 2-86418-243-2